4주 완성 스케줄표

공부한 날	주	일	학습 내용
월 일	1주	도입	1주에 배울 내용을 알아볼까요?
		1일	몇십 알아보기
월 일		2일	99까지의 수 알아보기
월 일		3일	1만큼 더 작은 수와 1만큼 더 큰 수, 수의 순서
월 일		4일	두 수의 크기 비교하기
월 일		5일	세 수의 크기 비교하기, 짝수와 홀수 알아보기
		평가/특강	누구나 100점 맞는 테스트 / 창의·융합·코딩
월 일	2주	도입	2주에 배울 내용을 알아볼까요?
		1일	(몇십몇)+(몇), (몇)+(몇십몇)
월 일		2일	(몇십)+(몇십)
월 일		3일	(몇십몇)+(몇십몇)
월 일		4일	(몇십몇)-(몇), (몇십)-(몇십)
월 일		5일	(몇십몇)-(몇십몇)
		평가/특강	누구나 100점 맞는 테스트 / 창의·융합·코딩
월 일	3주	도입	3주에 배울 내용을 알아볼까요?
		1일	세 수의 덧셈과 뺄셈
월 일		2일	두 수를 더해 보기, 두 수를 바꾸어 더해 보기
월 일		3일	10이 되는 더하기
월 일		4일	10에서 빼기
월 일		5일	10을 만들어 더하기
		평가/특강	누구나 100점 맞는 테스트 / 창의·융합·코딩
월 일	4주	도입	4주에 배울 내용을 알아볼까요?
		1일	10을 이용하여 모으기와 가르기
월 일		2일	덧셈하기
월 일		3일	여러 가지 방법으로 덧셈하기, 덧셈식의 계산 결과의 크기 비교하기
월 일		4일	뺄셈하기
월 일		5일	여러 가지 방법으로 뺄셈하기, 뺄셈식의 계산 결과의 크기 비교하기
		평가/특강	누구나 100점 맞는 테스트 / 창의·융합·코딩

공부한 날을 표시하고 하루하루 학습 내용을 살펴보세요.

Chunjae
Makes
Chunjae

▼

기획총괄	박금옥
편집개발	지유경, 정소현, 조선영, 원희정,
	이정선, 최윤석, 김선주, 박선민
디자인총괄	김희정
표지디자인	윤순미, 안채리
내지디자인	박희춘, 이혜진
제작	황성진, 조규영

발행일	2021년 4월 15일 초판 2021년 4월 15일 1쇄
발행인	(주)천재교육
주소	서울시 금천구 가산로9길 54
신고번호	제2001-000018호
고객센터	1577-0902

똑 똑 한

하루
계산

1 B

기운과 끈기는
모든 것을 이겨낸다.
- 벤자민 플랭크린 -

주별 Contents

똑똑한 하루 계산 — 이 책의 특징

도입 — 이번에 배울 내용을 알아볼까요?

이번 주에 공부할 내용을 만화로 재미있게!

반드시 알아야 할 개념을 쉽고 재미있는 만화로 확인!

개념 완성 — 개념·원리 확인

쉬운 계산 원리를 만화로 쏙쏙!

계산 반복 훈련

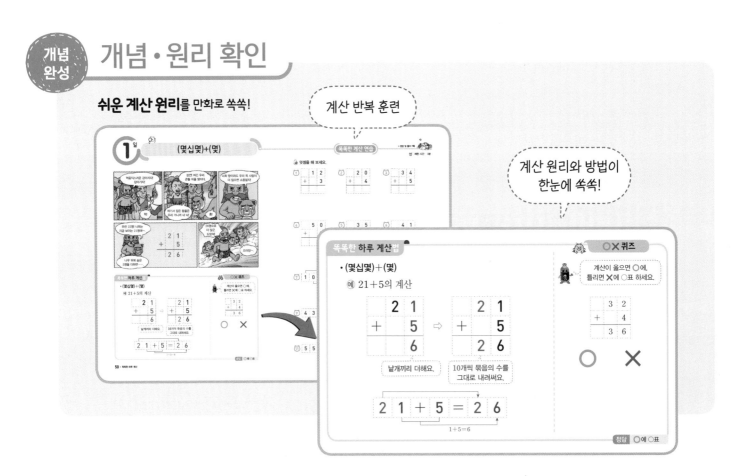

계산 원리와 방법이 한눈에 쏙쏙!

기초 집중 연습

다양한 형태의 계산 문제를 반복하여 완벽하게 익히기!

생활 속에서 필요한 계산 연습!

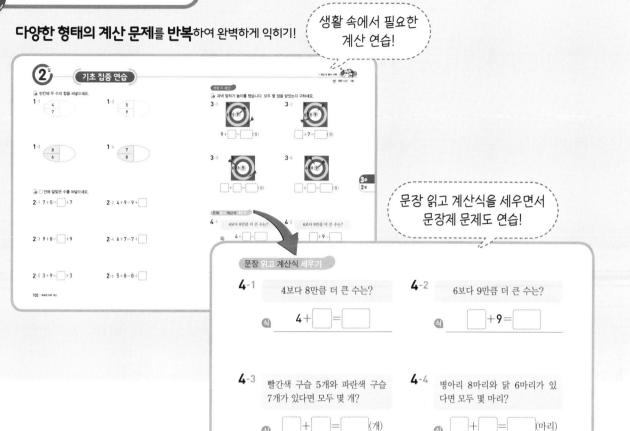

문장 읽고 계산식을 세우면서 문장제 문제도 연습!

문장 읽고 계산식 세우기

4-1 4보다 8만큼 더 큰 수는?

식 4+ ☐ = ☐

4-2 6보다 9만큼 더 큰 수는?

식 ☐ +9= ☐

4-3 빨간색 구슬 5개와 파란색 구슬 7개가 있다면 모두 몇 개?

식 ☐ + ☐ = ☐ (개)

4-4 병아리 8마리와 닭 6마리가 있다면 모두 몇 마리?

식 ☐ + ☐ = ☐ (마리)

• 103

평가 + 창의·융합·코딩

한 주에 **배운 내용**을 **테스트**로 마무리!

빠르고 정확하게 풀어 보자!

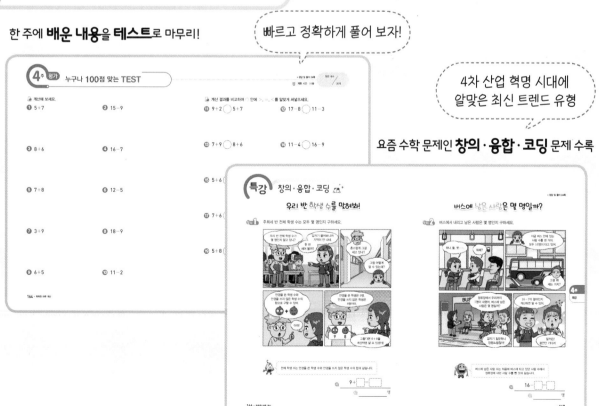

4차 산업 혁명 시대에 알맞은 최신 트렌드 유형

요즘 수학 문제인 **창의·융합·코딩** 문제 수록

1주 100까지의 수

숲이 이렇게 밝아지다니…….

케케케 들꽃 마을에서 쳐들어오는 걸지도 몰라!

마을을 지킬 전사가 몇 명이나 되지? 60명? 70명?

네? 저는 수를 셀 줄 모르는데요?

전사가 몇 명인지도 모르면서 어떻게 마을을 지킬 거야?!

아빠~ 진정해요!

히익!

들꽃 마을 사람들은 수를 셀 줄 알던데…….
우리 큰돌 마을은 이게 뭐냐고!

마을 사람들이 수를 셀 줄 알면 좋을텐데…….

1주에 배울 내용을 알아볼까요?

1-1 50까지의 수 알아보기

10개씩 묶어 봐요.

10개씩 묶음의 수와
낱개의 수를 세어 봐요.

□ 안에 알맞은 수를 써넣으세요.

1-1 10개씩 묶음 1개와 낱개 9개를
[ ](이)라고 합니다.

1-2 10개씩 묶음 3개와 낱개 4개를
[ ](이)라고 합니다.

1-3 47은 10개씩 묶음 [ ]개와 낱개
[ ]개입니다.

1-4 25는 10개씩 묶음 [ ]개와 낱개
[ ]개입니다.

1-1 50까지 수의 크기 비교

10개씩 묶음의 수를
비교해 봐요.

10개씩 묶음의 수가
같으면 낱개의
수를 비교해 봐요.

더 큰 수에 ○표 하세요.

2-1

23	16

2-2

44	37

2-3

50	48

2-4

18	13

2-5

32	36

2-6

49	43

몇십 알아보기 ①

똑똑한 하루 계산법

• 60, 70, 80, 90 알아보기

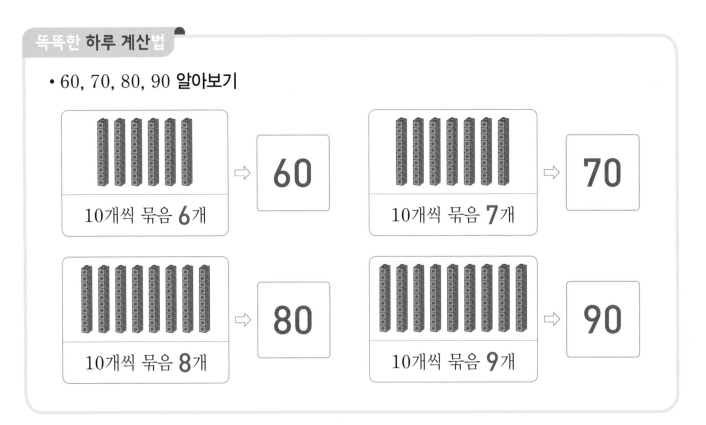

똑똑한 계산 연습

🐻 수를 세어 ☐ 안에 알맞은 수를 써넣으세요.

①

10개씩 묶음 6개 ⇨ ☐

②

10개씩 묶음 ☐ 개 ⇨ ☐

③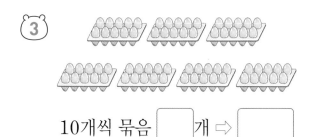

10개씩 묶음 ☐ 개 ⇨ ☐

④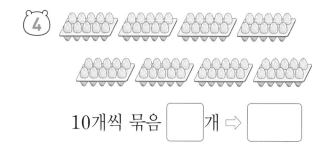

10개씩 묶음 ☐ 개 ⇨ ☐

🐻 수를 세어 ☐ 안에 알맞은 수를 써넣으세요.

⑤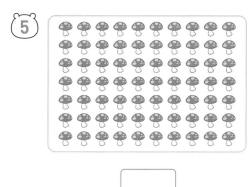

☐

⑥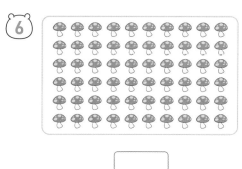

☐

⑦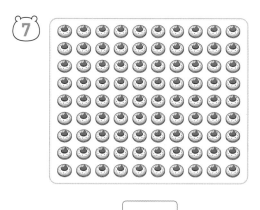

☐

⑧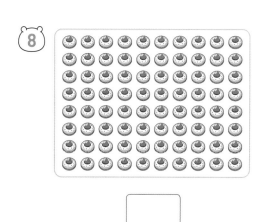

☐

몇십 알아보기 ②

똑똑한 하루 계산법

• 60, 70, 80, 90 쓰고 읽기

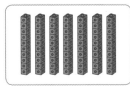
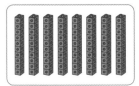
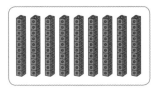

⇩ ⇩ ⇩ ⇩

60	70	80	90
육십, 예순	**칠십**, 일흔	**팔십**, 여든	**구십**, 아흔

똑똑한 계산 연습

🐻 수를 바르게 읽거나 숫자로 바르게 나타낸 것에 ◯표 하세요.

① 60 ⇨ (육십 , 육영)

② 90 ⇨ (십구 , 구십)

③ 80 ⇨ (아흔 , 여든)

④ 70 ⇨ (일흔 , 예순)

⑤ 팔십 ⇨ (70 , 80)

⑥ 칠십 ⇨ (60 , 70)

⑦ 예순 ⇨ (60 , 70)

⑧ 아흔 ⇨ (80 , 90)

🐻 수를 2가지 방법으로 읽어 보세요.

⑨
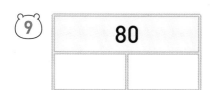
80

⑩
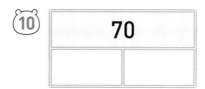
70

⑪
90

⑫
60

1주
1일

기초 집중 연습

🐻 모형의 수를 쓰고 2가지 방법으로 읽어 보세요.

1-1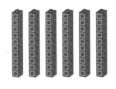

쓰기 ☐

읽기 ☐ , ☐

1-2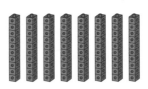

쓰기 ☐

읽기 ☐ , ☐

1-3

쓰기 ☐

읽기 ☐ , ☐

1-4

쓰기 ☐

읽기 ☐ , ☐

🐻 같은 수끼리 선으로 이어 보세요.

2-1

60 ·

90 ·

· 육십

· 칠십

· 구십

2-2

70 ·

80 ·

· 육십

· 칠십

· 팔십

2-3

70 ·

90 ·

· 일흔

· 여든

· 아흔

2-4

60 ·

80 ·

· 예순

· 여든

· 아흔

생활 속 문제

🐻 동전은 얼마인지 ☐ 안에 알맞은 수를 써넣으세요.

3-1

☐ 원

3-2

☐ 원

3-3

☐ 원

3-4

☐ 원

문장 읽고 문제 해결하기

🐻 다음이 나타내는 수를 써 보세요.

4-1   10개씩 묶음이 7개이면?

답 _____

4-2   10개씩 묶음이 8개이면?

답 _____

4-3   10개씩 묶음이 6개이면?

답 _____

4-4   10개씩 묶음이 9개이면?

답 _____

• 13

99까지의 수 알아보기 ①

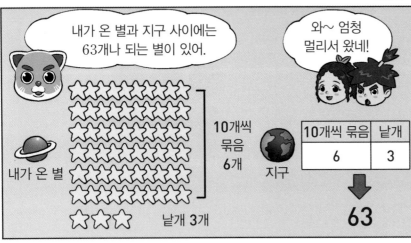

똑똑한 하루 계산법

• 99까지의 수 알아보기

예) 63 알아보기

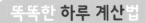

10개씩 묶음 6개

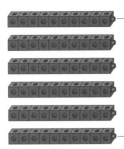 — 낱개 3개

10개씩 묶음	낱개
6	3

⇨ 63

○✕ 퀴즈

설명이 옳으면 ○에, 틀리면 ✕에 ○표 하세요.

10개씩 묶음 5개와
낱개 7개는 75입니다.

⏰ 제한 시간 3분

🐻 수를 세어 □ 안에 알맞은 수를 써넣으세요.

①

10개씩 묶음	낱개
5	

⇨ □

②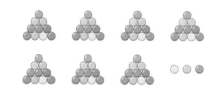

10개씩 묶음	낱개

⇨ □

③

10개씩 묶음	낱개

⇨ □

④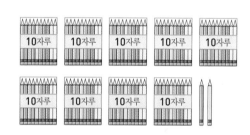

10개씩 묶음	낱개

⇨ □

🐻 □ 안에 알맞은 수를 써넣으세요.

⑤
10개씩 묶음	낱개
6	7

⇨ □

⑥
10개씩 묶음	낱개
8	3

⇨ □

⑦
10개씩 묶음	낱개
9	6

⇨ □

⑧
10개씩 묶음	낱개
7	1

⇨ □

1주 2일

99까지의 수 알아보기 ②

똑똑한 하루 계산법

• 99까지의 수 쓰고 읽기

예 63을 쓰고 읽기

63
육십삼, 예순셋

몇십몇 (■●)은 10개씩 묶음 ■개와 낱개 ●개예요.

참고

10개씩 묶음	낱개
■	●

⇨ ■●

○×퀴즈

수를 바르게 읽었으면 ○표, 틀리게 읽었으면 ×표 하세요.

71

칠십일	❶

일흔일	❷

정답 ❶ ○   ❷ ×

🐻 수로 써 보세요.

① 육십사 ⇨ ☐

② 구십일 ⇨ ☐

③ 칠십팔 ⇨ ☐

④ 오십사 ⇨ ☐

⑤ 여든다섯 ⇨ ☐

⑥ 쉰아홉 ⇨ ☐

⑦ 일흔하나 ⇨ ☐

⑧ 아흔여섯 ⇨ ☐

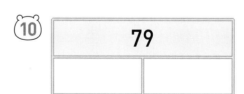

1주
2일

🐻 수를 2가지 방법으로 읽어 보세요.

⑨
84	

⑩
79	

⑪
98	

⑫
55	

기초 집중 연습

🐻 모형의 수를 쓰고 2가지 방법으로 읽어 보세요.

1-1
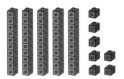

쓰기 ☐

읽기 ☐ , ☐

1-2

쓰기 ☐

읽기 ☐ , ☐

1-3
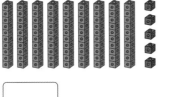

쓰기 ☐

읽기 ☐ , ☐

1-4

쓰기 ☐

읽기 ☐ , ☐

🐻 친구들이 말한 수를 쓰고 빈칸에 알맞은 수를 써넣으세요.

2-1

칠십사 ⇨ ☐

10개씩 묶음	
낱개	

2-2

구십칠 ⇨ ☐

10개씩 묶음	
낱개	

2-3

여든하나 ⇨ ☐

10개씩 묶음	
낱개	

2-4
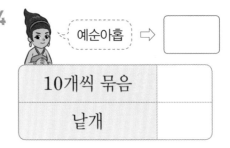

예순아홉 ⇨ ☐

10개씩 묶음	
낱개	

생활 속 문제

🐻 동전은 얼마인지 ☐ 안에 알맞은 수를 써넣으세요.

3-1

☐원

3-2

☐원

3-3

☐원

3-4

☐원

1주
2일

문장 읽고 문제 해결하기

🐻 다음이 나타내는 수를 써 보세요.

4-1   10개씩 묶음 7개와 낱개 2개는?

답 _____

4-2   10개씩 묶음 5개와 낱개 8개는?

답 _____

4-3   10개씩 묶음 9개와 낱개 1개는?

답 _____

4-4   10개씩 묶음 6개와 낱개 5개는?

답 _____

3일 1만큼 더 작은 수와 1만큼 더 큰 수

1만큼 더 작은 수와 1만큼 더 큰 수를 잘 모르겠어.

내가 알려줄게.

74개 별에 하나가 더 줄어들면 별을 나타내는 수도 1만큼 더 작은 수인 73이 돼.

74개 별에 하나가 더 늘어나면 별을 나타내는 수도 1만큼 더 큰 수인 75가 돼.

74보다 1만큼 더 작은 수는 73, 1만큼 더 큰 수는 75가 되는 거구나!

74보다 1만큼 더 작은 수   74보다 1만큼 더 큰 수

73   74   75

똑똑한 하루 계산법

• 1만큼 더 작은 수와 1만큼 더 큰 수 알아보기

예 74보다 1만큼 더 작은 수와 1만큼 더 큰 수 알아보기

1만큼 더 작은 수   1만큼 더 큰 수

73   74   75

74보다 **1만큼 더 작은 수**는 74 앞의 수인 **73**입니다.

74보다 **1만큼 더 큰 수**는 74 다음의 수인 **75**입니다.

어떤 수보다 1만큼 더 작은 수는 어떤 수 앞의 수예요.

어떤 수보다 1만큼 더 큰 수는 어떤 수 다음의 수예요.

똑똑한 계산 연습

🐻 모형의 수를 세어 ◯ 안에 써넣고, 1만큼 더 작은 수를 ☐ 안에 써넣으세요.

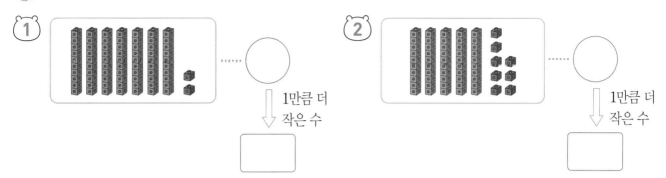

1만큼 더 작은 수

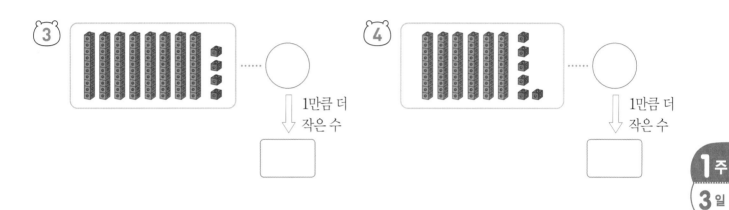

1만큼 더 작은 수

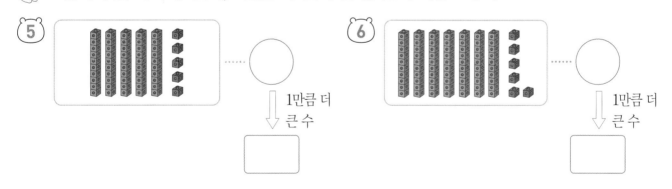

1만큼 더 작은 수

1만큼 더 작은 수

🐻 모형의 수를 세어 ◯ 안에, 1만큼 더 큰 수를 ☐ 안에 써넣으세요.

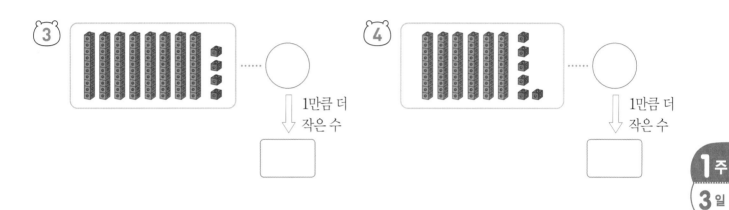

1만큼 더 큰 수

1만큼 더 큰 수

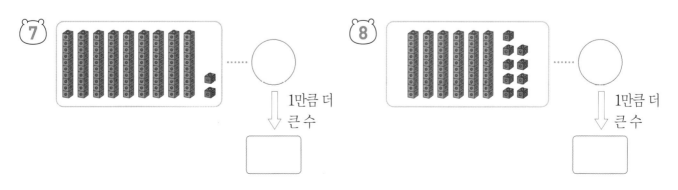

1만큼 더 큰 수

1만큼 더 큰 수

1주
3일

 수의 순서

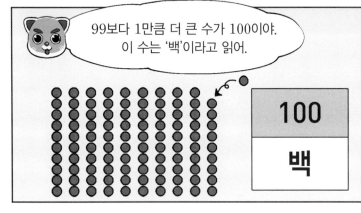

똑똑한 하루 계산법

• 100까지의 수의 순서

1만큼 더 작은 수

51	52	53	54	55	56	57	58	59	60
61	62	63	64	65	66	67	68	69	70
71	72	73	74	75	76	77	78	79	80
81	82	83	84	85	86	87	88	89	90
91	92	93	94	95	96	97	98	99	?

1만큼 더 큰 수

99보다 1만큼 더 큰 수

100	백

🐻 순서에 맞게 빈칸에 알맞은 수를 써넣으세요.

①
51 52 [ ] 54 55 [ ] [ ] 58 [ ]

②
65 [ ] 67 [ ] 69 [ ] 71 [ ] 73

③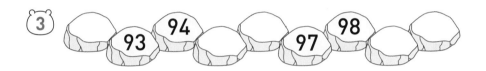
[ ] 93 94 [ ] [ ] 97 98 [ ] [ ]

④ 76 ◯ 78 ◯

⑤ 52 [ ] 54 [ ]

⑥ 88 ◯ ◯ 91

⑦ 97 98 [ ] [ ]

⑧ ◯ 60 ◯ 62

⑨ [ ] [ ] 71 72

기초 집중 연습

🐻 빈칸에 알맞은 수를 써넣으세요.

1-1 1만큼 더 작은 수 　　　　 1만큼 더 큰 수

1-2 1만큼 더 작은 수 　　　　 1만큼 더 큰 수

1-3 1만큼 더 작은 수 　　　　 1만큼 더 큰 수

1-4 1만큼 더 작은 수 　　　　 1만큼 더 큰 수

🐻 수의 순서에 맞게 빈칸에 알맞은 수를 써넣으세요.

2-1

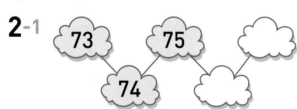

2-2

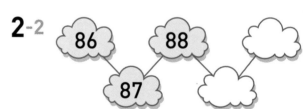

2-3

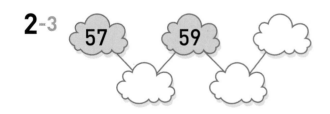

2-4

생활 속 문제

 수의 순서대로 선으로 이어 보세요.

3-1

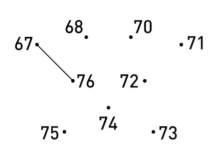

69
68   70
67   71
76   72
75   74   73

3-2

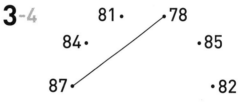

53 64
55 54 63 62
57 56   61 60

58   59

3-3

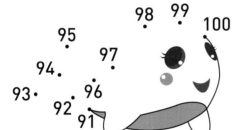

98 99
95   100
97
94
93   96
92
91

3-4

81   78
84   85
87   82
80   79
83   86

문장 읽고 문제 해결하기

4-1   55보다 1만큼 더 작은 수는?

답 _____

4-2   80보다 1만큼 더 작은 수는?

답 _____

4-3   84보다 1만큼 더 큰 수는?

답 _____

4-4   99보다 1만큼 더 큰 수는?

답 _____

두 수의 크기 비교하기 ①

똑똑한 하루 계산법

• 모형을 이용하여 수의 크기 비교하기

① 10개씩 묶음의 수를 비교합니다.
   예 64와 72의 크기 비교

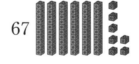

10개씩 묶음 **6**개	10개씩 묶음 **7**개
낱개 4개	낱개 2개

64는 72보다 작습니다.
72는 64보다 큽니다.

② 10개씩 묶음의 수가 같으면
   낱개의 수를 비교합니다.
   예 67과 64의 크기 비교

10개씩 묶음 6개	10개씩 묶음 6개
낱개 **7**개	낱개 **4**개

67은 64보다 큽니다.
64는 67보다 작습니다.

똑똑한 계산 연습

🐻 모형을 보고 알맞은 말에 ◯표 하세요.

①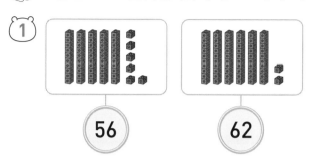

56은 62보다 (큽니다 , 작습니다).

②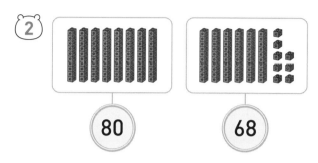

80은 68보다 (큽니다 , 작습니다).

③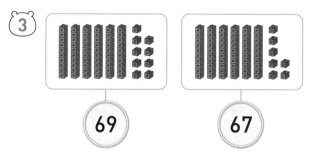

69는 67보다 (큽니다 , 작습니다).

④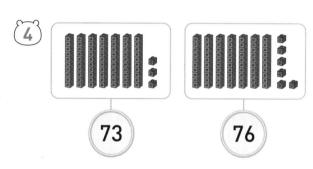

73은 76보다 (큽니다 , 작습니다).

🐻 모형을 보고 더 큰 수에 ◯표 하세요.

⑤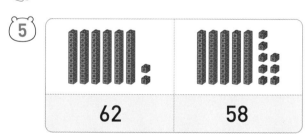

⑥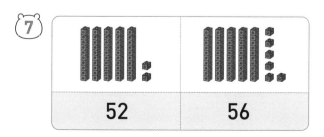

⑦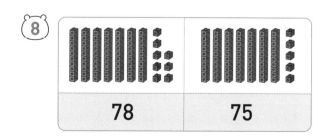

52	56

⑧

78	75

1주 4일

4일 두 수의 크기 비교하기 ②

똑똑한 하루 계산법

• 두 수의 크기 비교하기

① 10개씩 묶음의 수를 비교합니다.
   예 64와 72의 크기 비교

$$64 < 72$$
$$\underset{6<7}{\phantom{64 < 72}}$$

② 10개씩 묶음의 수가 같으면
   낱개의 수를 비교합니다.
   예 67과 64의 크기 비교

$$67 > 64$$
$$\underset{7>4}{}$$

> 참고
> • ■는 ●보다 큽니다. ⇨ ■ > ●
> • ■는 ●보다 작습니다. ⇨ ■ < ●

> >, <는 더 큰 쪽으로 벌어져요.

똑똑한 계산 연습

▶정답 및 풀이 4쪽

제한 시간 | 3분

두 수의 크기를 비교하여 ○ 안에 >, <를 알맞게 써넣으세요.

① 90 ○ 80

② 83 ○ 90

③ 52 ○ 61

④ 74 ○ 84

⑤ 59 ○ 95

⑥ 65 ○ 57

⑦ 72 ○ 70

⑧ 63 ○ 65

⑨ 87 ○ 85

⑩ 59 ○ 54

⑪ 96 ○ 93

⑫ 77 ○ 78

기초 집중 연습

🐻 모형의 수를 세어 >, <의 방향에 맞게 ☐ 안에 알맞은 수를 써넣으세요.

1-1

☐ < ☐

1-2
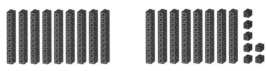
☐ < ☐

1-3
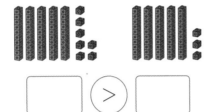
☐ > ☐

1-4

☐ > ☐

🐻 두 수의 크기를 비교해 보세요.

2-1

84 ◯ 57

84는 57보다 (큽니다 , 작습니다).
57은 84보다 (큽니다 , 작습니다).

2-2

79 ◯ 91

79는 91보다 (큽니다 , 작습니다).
91은 79보다 (큽니다 , 작습니다).

2-3

65 ◯ 68

65는 68보다 (작습니다 , 큽니다).
68은 65보다 (작습니다 , 큽니다).

2-4

53 ◯ 50

53은 50보다 (작습니다 , 큽니다).
50은 53보다 (작습니다 , 큽니다).

⏰ 제한 시간 9분

생활 속 문제

🐻 가족들이 들고 있는 수의 크기를 비교하여 ○ 안에 >, <를, ☐ 안에 알맞은 수를 써넣으세요.

76	58	51	69
아빠	엄마	누나	삼촌

3-1

☐ 은 ☐ 보다 큽니다.

3-2

☐ 은 ☐ 보다 작습니다.

3-3

☐ 은 ☐ 보다 작습니다.

3-4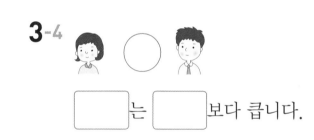

☐ 는 ☐ 보다 큽니다.

1주
4일

문장 읽고 문제 해결하기

4-1   72와 81 중에서 더 큰 수는?

답 _____

4-2   67과 69 중에서 더 큰 수는?

답 _____

4-3   82와 85 중에서 더 작은 수는?

답 _____

4-4   91과 74 중에서 더 작은 수는?

답 _____

세 수의 크기 비교하기

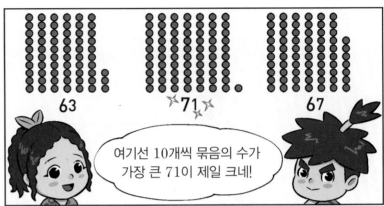

똑똑한 하루 계산법

• 세 수의 크기 비교하기

예 63, 71, 67의 크기 비교

63 10개씩 묶음 6개 낱개 3개

71 10개씩 묶음 7개 낱개 1개

67 10개씩 묶음 6개 낱개 7개

① 10개씩 묶음의 수를 비교합니다.
⇨ 63 < 71, 71 > 67이므로 **가장 큰 수는 71**입니다.
    └6<7┘   └7>6┘

② 10개씩 묶음의 수가 같으면 낱개의 수를 비교합니다.
⇨ 63 < 67이므로 **가장 작은 수는 63**입니다.
    └3<7┘

똑똑한 계산 연습

▶정답 및 풀이 4쪽

제한 시간 3분

가장 큰 수에 ○표 하세요.

① 50 64 71

② 94 80 78

③ 54 61 58

④ 90 95 93

⑤ 85 79 81

⑥ 65 67 69

가장 작은 수에 △표 하세요.

⑦ 63 82 79

⑧ 72 58 83

⑨ 52 56 54

⑩ 85 88 69

⑪ 68 92 65

⑫ 55 56 52

5 일 짝수와 홀수 알아보기

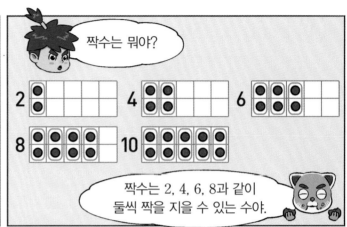
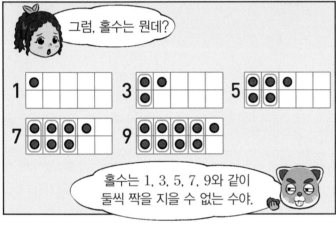

똑똑한 하루 계산법

• **짝수**: 2, 4, 6, 8, 10과 같이 둘씩 짝을 지을 수 있는 수

→ 짝수는 2, 4, 6, 8, 0으로 끝나요.

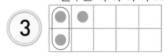

• **홀수**: 1, 3, 5, 7, 9와 같이 둘씩 짝을 지을 수 없는 수

→ 홀수는 1, 3, 5, 7, 9로 끝나요.

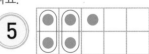

똑똑한 계산 연습

짝수이면 '짝', 홀수이면 '홀'을 ◯ 안에 써넣으세요.

① 14 ⋯⋯ ◯

② 15 ⋯⋯ ◯

③ 23 ⋯⋯ ◯

④ 26 ⋯⋯ ◯

⑤ 30 ⋯⋯ ◯

⑥ 25 ⋯⋯ ◯

⑦ 38 ⋯⋯ ◯

⑧ 41 ⋯⋯ ◯

⑨ 59 ⋯⋯ ◯

⑩ 67 ⋯⋯ ◯

⑪ 90 ⋯⋯ ◯

⑫ 82 ⋯⋯ ◯

1주
5일

기초 집중 연습

🐻 가장 큰 수에 ○표, 가장 작은 수에 △표 하세요.

1-1 63   87   58

1-2 60   90   83

1-3 64   59   55

1-4 73   77   74

🐻 >, < 방향에 맞게 ☐ 안에 알맞은 수를 써넣으세요.

2-1
50
57   56

☐ < ☐ < ☐

2-2
99
89   95

☐ < ☐ < ☐

2-3
83
73   53

☐ < ☐ < ☐

2-4
65
68   82

☐ < ☐ < ☐

제한 시간　9분

생활 속 문제

🐻 각 물건의 수를 세어 ▢ 안에 써넣고, 짝수인지 홀수인지 ◯표 하세요.

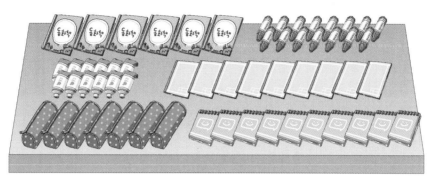

3-1  ‥‥‥ ▢

(짝수 , 홀수)

3-2 ‥‥‥ ▢

(짝수 , 홀수)

3-3 ‥‥‥ ▢

(짝수 , 홀수)

3-4 ‥‥‥ ▢

(짝수 , 홀수)

3-5 ‥‥‥ ▢

(짝수 , 홀수)

3-6 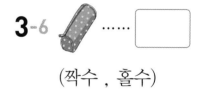 ‥‥‥ ▢

(짝수 , 홀수)

1주
5일

문장 읽고 문제 해결하기

4-1　54, 74, 68 중에서 가장 큰 수는?

답 _____

4-2　57, 59, 64 중에서 가장 작은 수는?

답 _____

🐻 수를 세어 쓰고, 읽어 보세요.

1

쓰기 [ ]

읽기 [ ] , [ ]

2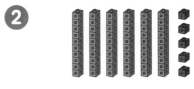

쓰기 [ ]

읽기 [ ] , [ ]

3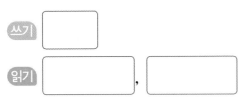

쓰기 [ ]

읽기 [ ] , [ ]

4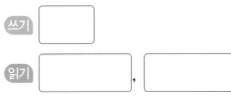

쓰기 [ ]

읽기 [ ] , [ ]

🐻 빈칸에 알맞은 수를 써넣으세요.

5 1만큼 더 작은 수   1만큼 더 큰 수

[ ] — 73 — [ ]

6 1만큼 더 작은 수   1만큼 더 큰 수

[ ] — 51 — [ ]

7 1만큼 더 작은 수   1만큼 더 큰 수

[ ] — 65 — [ ]

8 1만큼 더 작은 수   1만큼 더 큰 수

[ ] — 99 — [ ]

9 1만큼 더 작은 수   1만큼 더 큰 수

[ ] — 80 — [ ]

10 1만큼 더 작은 수   1만큼 더 큰 수

[ ] — 77 — [ ]

⏰ 제한 시간 10분

🐻 두 수의 크기를 비교하여 ○ 안에 >, <를 알맞게 써넣으세요.

⑪ 86 ○ 68

⑫ 63 ○ 65

⑬ 93 ○ 78

⑭ 87 ○ 81

⑮ 75 ○ 76

⑯ 59 ○ 61

1주 평가

🐻 가장 큰 수에 ○표, 가장 작은 수에 △표 하세요.

⑰ 57 73 68

⑱ 80 69 72

⑲ 83 86 74

⑳ 92 89 95

제한 시간 안에 정확하게
모두 풀었다면 여러분은 진정한 **계산왕!**

고구마를 더 많이 캔 친구는?

 건우()와 민정()이는 주말 농장에서 고구마 캐기 체험을 하였습니다. 건우와 민정이 중 고구마를 더 많이 캔 친구는 누구일까요?

 건우

10개씩 묶음	낱개

⇩

 민정

10개씩 묶음	낱개

⇩

 답 _____

▶ 정답 및 풀이 6쪽

이 모자의 주인은 누구일까요?

창의 2 친구들이 한 곳에 둔 모자에 찾기 쉽게 번호표를 붙였습니다. 각자 모자를 찾아 ☐ 안에 알맞은 기호를 쓰세요.

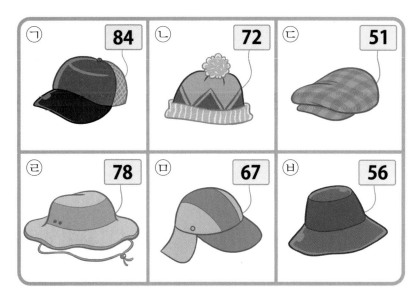

수현

내 모자에는 10개씩
묶음 6개와 낱개 7개인
수가 적혀 있어. ☐

민호

내 모자에는 10개씩
묶음 8개와 낱개 4개인
수가 적혀 있어. ☐

준희

내 모자에는 10개씩
묶음 7개와 낱개 8개인
수가 적혀 있어. ☐

우석

내 모자에는 10개씩
묶음 5개와 낱개 1개인
수가 적혀 있어. ☐

1주

특강

융합 3 밑줄 친 말을 수로 쓰세요.

(1)  우리 할머니의 나이는 **예순다섯** 살이에요.

(2)  지우개가 **칠십삼** 개나 있어요.

(3)  주차장에 자동차가 **아흔아홉** 대 있어요.

(4) 물의 온도가 **육십칠** 도예요.

융합 4 밑줄 친 수를 읽어 보세요.

(1)  동화책을 **83**쪽 읽었어요.

(2)  할아버지의 나이는 **78**살이에요.

코딩5 로봇이 수 카드 3장 중에서 한 장을 고른 후 블록명령에 따라 참, 거짓을 말합니다. 로봇이 고른 수 카드에 적힌 수를 쓰세요.

(1)

카드 고르기

읽기　카드의 수

　만약　10개씩 묶음이 8개　라면

　　말하기　참

　아니면

　　말하기　거짓

참

| 58 | 78 | 82 |

답 _____

(2)

카드 고르기

읽기　카드의 수

　만약　10개씩 묶음이 7개　라면

　　말하기　참

　아니면

　　말하기　거짓

거짓

| 75 | 72 | 97 |

답 _____

특강 창의·융합·코딩

창의 6 다음은 짝수 또는 홀수를 규칙에 맞게 화살표 방향 순서대로 써넣은 것입니다. 빈칸에 알맞은 수를 써넣으세요.

(1) 시작

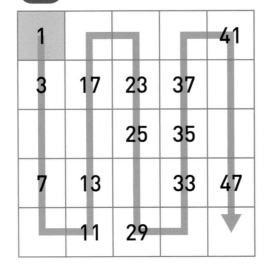

1은 홀수이므로 홀수를 순서대로 써넣어야 합니다.

1				41
3	17	23	37	
		25	35	
7	13		33	47
	11	29		

(2) 시작

2	32		28	
	34	48	46	24
6		50		22
8	38		42	20
10			16	18

창의 **7** 조건에 맞는 수가 있는 길을 따라 선을 그어 보세요.

(1)

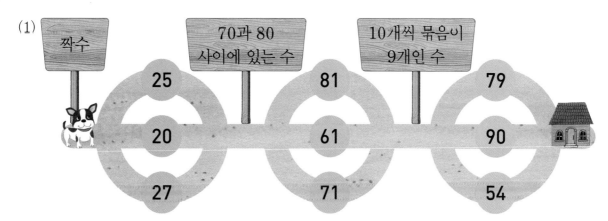

(2)

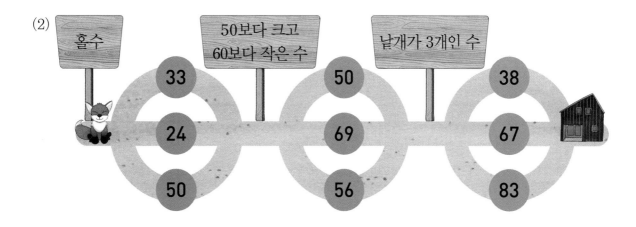

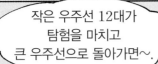

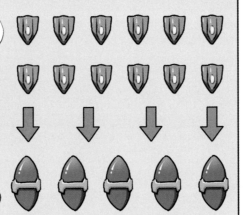

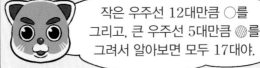

2주에 배울 내용을 알아볼까요? ①

 똑똑한 하루 계산

1일 (몇십몇)＋(몇), (몇)＋(몇십몇)
2일 (몇십)＋(몇십)
3일 (몇십몇)＋(몇십몇)
4일 (몇십몇)－(몇), (몇십)－(몇십)
5일 (몇십몇)－(몇십몇)

그럼 이제 큰 우주선으로 돌아가야겠네.

막 정들었는데 섭섭하다~.

음....... 그게 당장은 어려워.

왜?

우주선이 땅에 부딪히면서 떨어진 부품들이 있어.

꽝!

지구

그걸 찾아야 큰 우주선으로 돌아갈 수 있어.

우리가 도와줄게!

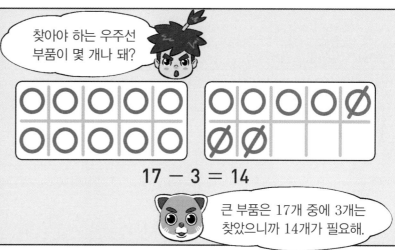

찾아야 하는 우주선 부품이 몇 개나 돼?

17 － 3 = 14

큰 부품은 17개 중에 3개는 찾았으니까 14개가 필요해.

그럼 흩어져서 찾아보자.

그런데 우주선 부품은 어떻게 생겼어?

그걸 설명하긴 어려운데…….

그냥 매끈한 건 다 가져오면 안 되나?

켁!

1-1 덧셈하기

4 다음에 ◎를 3개 그리면서 5, 6, 7을 세면 4+3=7이야.

4와 3을 모으기 하면 7이니까 모으기로 구할 수도 있어.

덧셈을 해 보세요.

1-1 2+3=☐

1-2 5+1=☐

1-3 6+2=☐

1-4 5+4=☐

1-5 3+3=☐

1-6 7+1=☐

1-1 뺄셈하기

5개 중에서 2개를 지우면 3개가 남으니까 5-2=3이야.

5는 2와 3으로 가르기 할 수 있으니까 가르기로 구할 수도 있어.

 뺄셈을 해 보세요.

2-1 $3-1=\boxed{}$

2-2 $6-2=\boxed{}$

2-3 $7-3=\boxed{}$

2-4 $8-5=\boxed{}$

2-5 $5-4=\boxed{}$

2-6 $9-2=\boxed{}$

(몇십몇)+(몇)

먹음직스러운 강아지다! 잡아가자!

헉!

잠깐! 여긴 우리 큰돌 마을 땅이다.

여기서 잡은 동물은 우리 거니까 내 놔!

흥!

너희 땅이라도 우리 쪽 사람이 더 많으면 소용없지!

우린 22명! 너희는 지금 보이는 21명에~.

나무 뒤에 숨은 5명을 더하면…….

$$\begin{array}{r} 2\ 1 \\ +\quad 5 \\ \hline 2\ 6 \end{array}$$

26명으로 더 많군. 도망쳐!

으아앙~.

똑똑한 하루 계산법

• (몇십몇)+(몇)

㉠ 21+5의 계산

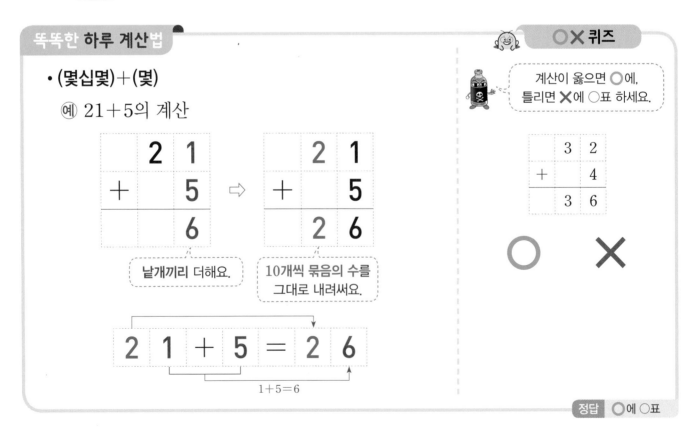

$$\begin{array}{r} 2\ 1 \\ +\quad 5 \\ \hline 6 \end{array} \Rightarrow \begin{array}{r} 2\ 1 \\ +\quad 5 \\ \hline 2\ 6 \end{array}$$

낱개끼리 더해요.

10개씩 묶음의 수를 그대로 내려써요.

$$2\ 1 + 5 = 2\ 6$$

1+5=6

○×퀴즈

계산이 옳으면 ○에, 틀리면 ✕에 ○표 하세요.

$$\begin{array}{r} 3\ 2 \\ +\quad 4 \\ \hline 3\ 6 \end{array}$$

○   ✕

정답 ○에 ○표

🐻 덧셈을 해 보세요.

①
```
    1  2
 +     3
```

②
```
    2  0
 +     4
```

③
```
    3  4
 +     5
```

④
```
    5  0
 +     7
```

⑤
```
    3  5
 +     3
```

⑥
```
    4  1
 +     6
```

⑦ 1 0 + 6 =

⑧ 2 2 + 4 =

⑨ 4 3 + 2 =

⑩ 6 7 + 1 =

⑪ 5 5 + 3 =

⑫ 7 3 + 4 =

2주
1일

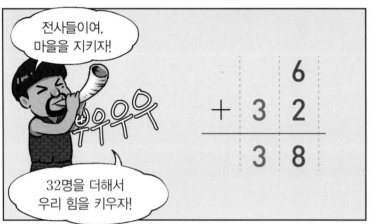

똑똑한 하루 계산법

○× 퀴즈

계산이 바른 것에 ○표, 틀린 것에 ×표 하세요.

• (몇)+(몇십몇)

예 6+32의 계산

낱개끼리 더해요.

10개씩 묶음의 수를 그대로 내려써요.

$$6 + 32 = 38$$

6+2=8

```
    4
+  2  3
   6  3     ❶
```

```
    4
+  2  3
   2  7     ❷
```

정답 ❶ ×   ❷ ○

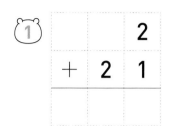

덧셈을 해 보세요.

①
```
      2
+   2 1
───────
```

②
```
      4
+   1 5
───────
```

③
```
      6
+   3 0
───────
```

④
```
      5
+   4 2
───────
```

⑤
```
      3
+   5 6
───────
```

⑥
```
      4
+   7 2
───────
```

⑦ 4 + 1 2 =

⑧ 3 + 3 2 =

⑨ 6 + 2 2 =

⑩ 3 + 5 0 =

⑪ 5 + 4 1 =

⑫ 7 + 8 2 =

2주
1일

1 _일

기초 집중 연습

🐻 빈칸에 알맞은 수를 써넣으세요.

1-1

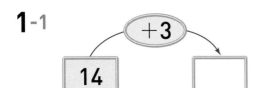

1-2

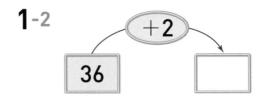

1-3

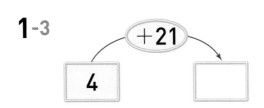

1-4

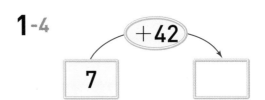

🐻 빈칸에 두 수의 합을 써넣으세요.

2-1

27	2

2-2

52	4

2-3

5	30

2-4

6	63

제한 시간 9분

생활 속 계산

 빵집에 있는 종류별 빵의 개수입니다. 주어진 빵의 개수를 구하세요.

종류						
빵의 수(개)	12	6	8	20	22	5

3-1

12 + ☐ = ☐ (개)

3-2

20 + ☐ = ☐ (개)

3-3

☐ + ☐ = ☐ (개)

3-4

☐ + ☐ = ☐ (개)

문장 읽고 계산식 세우기

4-1   15보다 4만큼 더 큰 수는?

식   15 + ☐ = ☐

4-2   23보다 5만큼 더 큰 수는?

식   ☐ + ☐ = ☐

(몇십)+(몇십) ①

똑똑한 하루 계산법

- **(몇십)+(몇십)의 세로셈**

  예) 30+10의 계산

$$
\begin{array}{r}
3\ 0 \\
+\ 1\ 0 \\
\hline
0
\end{array}
\Rightarrow
\begin{array}{r}
3\ 0 \\
+\ 1\ 0 \\
\hline
4\ 0
\end{array}
$$

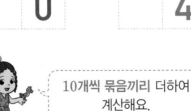

10개씩 묶음끼리 더하여 계산해요.

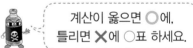

정답 ✕에 ○표

🐻 덧셈을 해 보세요.

①
```
    2 0
+   1 0
-------
```

②
```
    3 0
+   3 0
-------
```

③
```
    1 0
+   5 0
-------
```

④
```
    7 0
+   1 0
-------
```

⑤
```
    2 0
+   3 0
-------
```

⑥
```
    4 0
+   3 0
-------
```

⑦
```
    6 0
+   2 0
-------
```

⑧
```
    5 0
+   4 0
-------
```

⑨
```
    4 0
+   4 0
-------
```

⑩
```
    2 0
+   5 0
-------
```

⑪
```
    7 0
+   2 0
-------
```

⑫
```
    6 0
+   3 0
-------
```

2주 2일

(몇십)+(몇십) ②

똑똑한 하루 계산법

• (몇십)+(몇십)의 가로셈

예 20+30의 계산

2+3=5

| 2 | 0 | + | 3 | 0 | = | 5 | 0 |

낱개는 0

10개씩 묶음끼리의 계산
2+3=5의 뒤에 0을 한 개 써요.

○✕ 퀴즈

계산이 옳으면 ○에,
틀리면 ✕에 ○표 하세요.

$$10+20=30$$

○ ✕

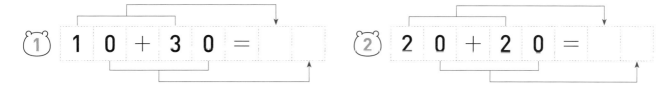

🐻 덧셈을 해 보세요.

① 1 0 + 3 0 =

② 2 0 + 2 0 =

③ 3 0 + 4 0 =

④ 4 0 + 1 0 =

⑤ 2 0 + 5 0 =

⑥ 5 0 + 1 0 =

⑦ 3 0 + 3 0 =

⑧ 4 0 + 5 0 =

⑨ 6 0 + 1 0 =

⑩ 5 0 + 3 0 =

2주
2일

기초 집중 연습

🐻 빈칸에 알맞은 수를 써넣으세요.

1-1 30 ➡ +10 ➡ ☐

1-2 20 ➡ +60 ➡ ☐

1-3 40 ➡ +50 ➡ ☐

1-4 60 ➡ +10 ➡ ☐

🐻 빈칸에 두 수의 합을 써넣으세요.

2-1 $\dfrac{10}{10}$

2-2 $\dfrac{40}{30}$

2-3 $\dfrac{70}{20}$

2-4 $\dfrac{80}{10}$

생활 속 계산

🐻 저금한 돈은 모두 얼마인지 구하세요.

3-1

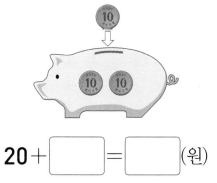

$20 + \boxed{} = \boxed{}$ (원)

3-2

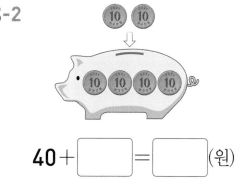

$40 + \boxed{} = \boxed{}$ (원)

3-3

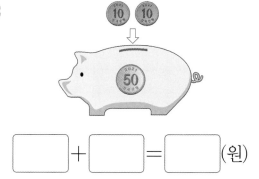

$\boxed{} + \boxed{} = \boxed{}$ (원)

3-4

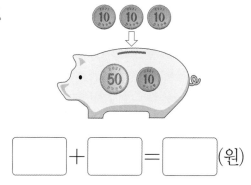

$\boxed{} + \boxed{} = \boxed{}$ (원)

2주 2일

문장 읽고 계산식 세우기

4-1 흰 바둑돌 10개와 검은 바둑돌 30개는 모두 몇 개?

식 $10 + \boxed{} = \boxed{}$ (개)

4-2 금붕어 20마리와 열대어 30마리는 모두 몇 마리?

식 $20 + \boxed{} = \boxed{}$ (마리)

(몇십몇)+(몇십몇) ①

똑똑한 하루 계산법

- **(몇십몇)+(몇십몇)의 세로셈**

  예 14+32의 계산

$$
\begin{array}{r}
1\ 4 \\
+\ 3\ 2 \\
\hline
6
\end{array}
\quad\Rightarrow\quad
\begin{array}{r}
1\ 4 \\
+\ 3\ 2 \\
\hline
4\ 6
\end{array}
$$

낱개끼리 더하여
낱개의 자리에 써요.

10개씩 묶음끼리 더하여
10개씩 묶음의 자리에 써요.

○×퀴즈

계산이 옳으면 ○에,
틀리면 ✗에 ○표 하세요.

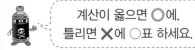

$$
\begin{array}{r}
2\ 2 \\
+\ 1\ 5 \\
\hline
3\ 7
\end{array}
$$

○   ✗

정답 ○에 ○표

🐻 덧셈을 해 보세요.

①
```
   1 6
 + 1 2
```

②
```
   2 0
 + 3 4
```

③
```
   2 2
 + 1 1
```

④
```
   3 5
 + 1 4
```

⑤
```
   5 1
 + 1 7
```

⑥
```
   4 2
 + 3 4
```

⑦
```
   2 6
 + 3 0
```

⑧
```
   4 6
 + 2 3
```

⑨
```
   3 4
 + 3 2
```

⑩
```
   6 4
 + 1 5
```

⑪
```
   5 3
 + 2 2
```

⑫
```
   7 6
 + 2 1
```

2주
3일

(몇십몇)+(몇십몇) ②

똑똑한 하루 계산법

- **(몇십몇)+(몇십몇)의 가로셈**

  예 22+13의 계산

$$2+1=3$$

$$2\ \ 2\ +\ 1\ \ 3\ =\ 3\ \ 5$$

$$2+3=5$$

낱개는 낱개끼리, 10개씩 묶음은 10개씩 묶음끼리 더해요.

○✕ 퀴즈

계산이 옳으면 ○에, 틀리면 ✕에 ○표 하세요.

$$14+15=19$$

○   ✕

정답 ✕에 ○표

똑똑한 계산 연습

제한 시간 3분

덧셈을 해 보세요.

1. 12 + 24 =

2. 17 + 31 =

3. 33 + 14 =

4. 51 + 43 =

5. 26 + 30 =

6. 42 + 45 =

7. 52 + 25 =

8. 38 + 21 =

9. 16 + 71 =

10. 85 + 12 =

🐻 덧셈을 해 보세요.

1-1 23＋33＝ ⬚

1-2 47＋31＝ ⬚

1-3 54＋25＝ ⬚

1-4 63＋16＝ ⬚

🐻 계산 결과가 <u>다른</u> 하나에 ×표 하세요.

2-1

20＋25
(   )

24＋22
(   )

31＋14
(   )

2-2

33＋24
(   )

46＋11
(   )

26＋32
(   )

2-3

52＋14
(   )

31＋37
(   )

45＋23
(   )

제한 시간 9분

생활 속 계산

🐻 다트 던지기를 해서 얻은 점수를 구하세요.

3-1

15+20=□(점)

3-2
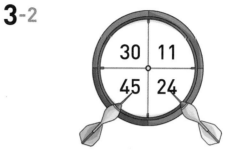

45+□=□(점)

3-3
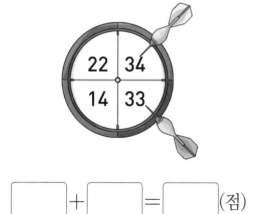

□+□=□(점)

3-4
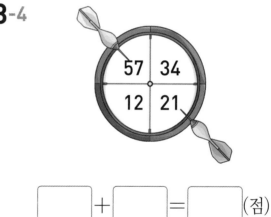

□+□=□(점)

문장 읽고 계산식 세우기

4-1
빨강 단추 26개와 노랑 단추 31개
는 모두 몇 개?

식 26+□=□(개)

4-2
사탕 28개와 초콜릿 21개는 모두
몇 개?

식 □+□=□(개)

(몇십몇)−(몇)

큰돌 마을 포로들이 도망쳤다!

몇 명이 도망쳤지?

포로가 모두 26명이었는데…….

아직 도망치지 못한 포로가 5명이 있군.

포로 26명에서 5명을 빼면…….

$$\begin{array}{r} 2\ 6 \\ -\ \ \ 5 \\ \hline 2\ 1 \end{array}$$

21명이 도망갔군!

잡아올까요?

그냥 둬. 어차피 먹기만 했는데 잘 됐어.

똑똑한 하루 계산법

• (몇십몇)−(몇)

　예 26−5의 계산

$$\begin{array}{r} 2\ 6 \\ -\quad 5 \\ \hline 1 \end{array} \Rightarrow \begin{array}{r} 2\ 6 \\ -\quad 5 \\ \hline 2\ 1 \end{array}$$

낱개끼리 빼요.

10개씩 묶음의 수를 그대로 내려써요.

$$2\ 6\ -\ 5\ =\ 2\ 1$$

6−5=1

$$\begin{array}{r} 5\ 4 \\ -\quad 2 \\ \hline 3\ 4 \end{array}$$ ❶ ☐

$$\begin{array}{r} 5\ 4 \\ -\quad 2 \\ \hline 5\ 2 \end{array}$$ ❷ ☐

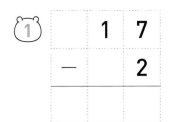 뺄셈을 해 보세요.

①
```
    1 7
  -   2
```

②
```
    3 5
  -   4
```

③
```
    2 8
  -   6
```

④
```
    5 9
  -   4
```

⑤
```
    4 7
  -   7
```

⑥
```
    7 4
  -   2
```

⑦ 2 5 - 5 =

⑧ 4 3 - 2 =

⑨ 5 5 - 4 =

⑩ 6 7 - 6 =

⑪ 8 9 - 7 =

⑫ 7 8 - 6 =

(몇십)−(몇십)

똑똑한 하루 계산법

• (몇십)−(몇십)

예 40−30의 계산

$$
\begin{array}{r}
4\ 0 \\
-\ 3\ 0 \\
\hline
0
\end{array}
\Rightarrow
\begin{array}{r}
4\ 0 \\
-\ 3\ 0 \\
\hline
1\ 0
\end{array}
$$

4−3=1

4 0 − 3 0 = 1 0

낱개는 0

○✕ 퀴즈

계산이 옳으면 ○에,
틀리면 ✕에 ○표 하세요.

$$
\begin{array}{r}
5\ 0 \\
-\ 2\ 0 \\
\hline
3\ 0
\end{array}
$$

○   ✕

정답 ○에 ○표

똑똑한 계산 연습

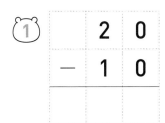 뺄셈을 해 보세요.

①
```
    2 0
-   1 0
```

②
```
    4 0
-   2 0
```

③
```
    5 0
-   3 0
```

④
```
    6 0
-   5 0
```

⑤
```
    7 0
-   2 0
```

⑥
```
    8 0
-   5 0
```

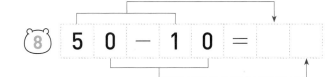

⑦ 3 0 − 2 0 =

⑧ 5 0 − 1 0 =

⑨ 7 0 − 4 0 =

⑩ 6 0 − 2 0 =

⑪ 8 0 − 1 0 =

⑫ 9 0 − 4 0 =

🐻 빈칸에 알맞은 수를 써넣으세요.

1-1

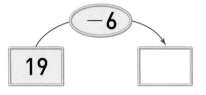

1-2

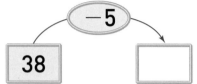

1-3

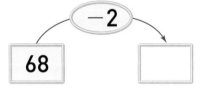

1-4

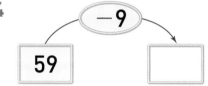

1-5

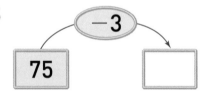

1-6

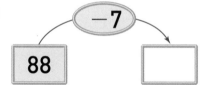

2 차가 같은 것끼리 선으로 이어 보세요.

50-40 ·	· 10 ·	· 60-40
60-30 ·	· 20 ·	· 80-50
70-50 ·	· 30 ·	· 90-80

생활 속 계산

📖 전체 퍼즐 조각 중 그림과 같이 일부만 맞추어져 있습니다. 남은 퍼즐 조각의 수를 구하
세요.

3-1

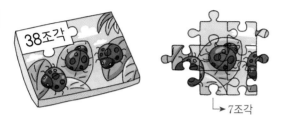

→7조각

$38 - \boxed{} = \boxed{}$ (조각)

3-2

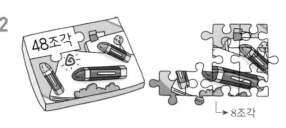

→8조각

$\boxed{} - 8 = \boxed{}$ (조각)

3-3

$\boxed{} - \boxed{} = \boxed{}$ (조각)

3-4

$\boxed{} - \boxed{} = \boxed{}$ (조각)

2주
4일

문장 읽고 계산식 세우기

4-1

사탕 27개 중 6개를 먹었다면 남은 사탕은?

식 $27 - \boxed{} = \boxed{}$ (개)

4-2

연필 20자루 중 10자루를 동생에게 주었다면 남은 연필은?

식 $\boxed{} - 10 = \boxed{}$ (자루)

(몇십몇)-(몇십몇) ①

아직 아무도 안 왔나?

수리야, 우리 여기 있어.

어! 너희들 거기서 뭐해?

우주선의 부품을 끼우고 있어.

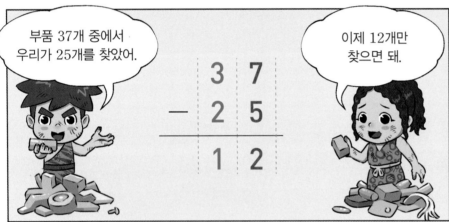

부품 37개 중에서 우리가 25개를 찾았어.

$$\begin{array}{r} 3\ 7 \\ -\ 2\ 5 \\ \hline 1\ 2 \end{array}$$

이제 12개만 찾으면 돼.

부품 찾는 것도 중요하지만 너희들 좀 씻고 올래?

똑똑한 하루 계산법

• (몇십몇)-(몇십몇)의 세로셈

예 37-25의 계산

$$\begin{array}{r} 3\ 7 \\ -\ 2\ 5 \\ \hline 2 \end{array} \Rightarrow \begin{array}{r} 3\ 7 \\ -\ 2\ 5 \\ \hline 1\ 2 \end{array}$$

낱개끼리 빼어 낱개의 자리에 써요.

10개씩 묶음끼리 빼어 10개씩 묶음의 자리에 써요.

○✕ 퀴즈

계산이 옳으면 ○에, 틀리면 ✕에 ○표 하세요.

$$\begin{array}{r} 4\ 5 \\ -\ 2\ 1 \\ \hline 4\ 4 \end{array}$$

○   ✕

🐻 **뺄셈을 해 보세요.**

①
```
    3 6
  - 1 3
```

②
```
    4 5
  - 2 5
```

③
```
    3 1
  - 2 0
```

④
```
    5 5
  - 2 1
```

⑤
```
    7 5
  - 5 2
```

⑥
```
    6 8
  - 4 3
```

⑦
```
    4 9
  - 1 6
```

⑧
```
    6 8
  - 5 7
```

⑨
```
    8 3
  - 2 1
```

⑩
```
    7 6
  - 2 4
```

⑪
```
    8 8
  - 4 5
```

⑫
```
    9 7
  - 6 3
```

똑똑한 하루 계산법

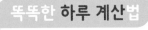

• (몇십몇)-(몇십몇)의 가로셈

예) 26-14의 계산

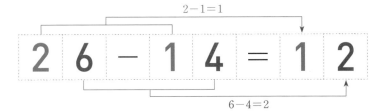

$$2-1=1$$

$$\boxed{2}\ \boxed{6}\ -\ \boxed{1}\ \boxed{4}\ =\ \boxed{1}\ \boxed{2}$$

$$6-4=2$$

낱개는 낱개끼리, 10개씩 묶음은
10개씩 묶음끼리 빼요.

○✕ 퀴즈

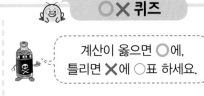

계산이 옳으면 ○에,
틀리면 ✕에 ○표 하세요.

$$37-16=21$$

○   ✕

정답 ○에 ○표

🐻 뺄셈을 해 보세요.

① 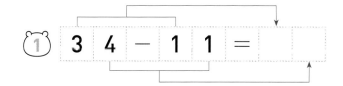 3 4 − 1 1 =

②  4 9 − 2 0 =

③ 2 5 − 1 5 =

④ 5 3 − 2 2 =

⑤ 4 8 − 1 7 =

⑥ 6 7 − 5 4 =

⑦ 7 7 − 2 4 =

⑧ 5 6 − 3 4 =

⑨ 8 8 − 3 5 =

⑩ 9 4 − 7 1 =

2주
5일

기초 집중 연습

🐻 빈칸에 알맞은 수를 써넣으세요.

1-1
24	−13	

1-2
39	−17	

1-3
55	−21	

1-4
78	−33	

🐻 빈칸에 두 수의 차를 써넣으세요.

2-1
43	30

2-2
27	58

2-3
46	25

2-4
51	62

제한 시간 9분

생활 속 계산

 알뜰 시장에 있는 종류별 수입니다. 몇 개 남았는지 구하세요.

| 공책 45권 | 필통 36개 | 책 24권 | 인형 37개 | 장난감 22개 |

3-1 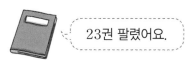 23권 팔렸어요.

$$45 - \boxed{} = \boxed{} \text{(권)}$$

3-2 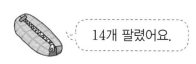 14개 팔렸어요.

$$\boxed{} - 14 = \boxed{} \text{(개)}$$

3-3 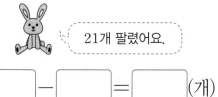 21개 팔렸어요.

$$\boxed{} - \boxed{} = \boxed{} \text{(개)}$$

3-4  20개 팔렸어요.

$$\boxed{} - \boxed{} = \boxed{} \text{(개)}$$

문장 읽고 계산식 세우기

4-1 구슬 35개 중 13개를 친구에게 주었다면 남은 구슬은 몇 개?

식 $35 - \boxed{} = \boxed{} \text{(개)}$

4-2 사과는 56개, 배는 사과보다 25개 더 적다면 배는 몇 개?

식 $\boxed{} - \boxed{} = \boxed{} \text{(개)}$

2주
5일

🐻 계산해 보세요.

①
```
    2 6
+     2
```

②
```
      7
+ 4 1
```

③
```
    1 0
+ 7 0
```

④
```
    6 2
+ 1 0
```

⑤
```
    4 2
+ 3 6
```

⑥
```
    3 9
−     8
```

⑦
```
    5 0
− 2 0
```

⑧
```
    6 7
− 3 0
```

⑨
```
    7 6
− 2 5
```

⑩
```
    8 5
− 4 2
```

⑪ 35＋4＝ ☐

⑫ 6＋41＝ ☐

⑬ 50＋10＝ ☐

⑭ 42＋30＝ ☐

⑮ 76＋22＝ ☐

⑯ 69－3＝ ☐

⑰ 70－60＝ ☐

⑱ 85－30＝ ☐

⑲ 68－57＝ ☐

⑳ 79－24＝ ☐

2주
평가

제한 시간 안에 정확하게
모두 풀었다면 여러분은 진정한 **계산왕!**

학급 시장

 창의 **1** 승우와 주희에게 필요한 칭찬 붙임 딱지의 수를 구하세요.

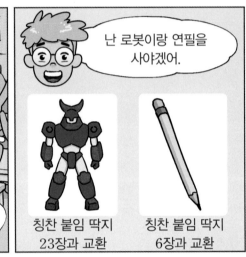

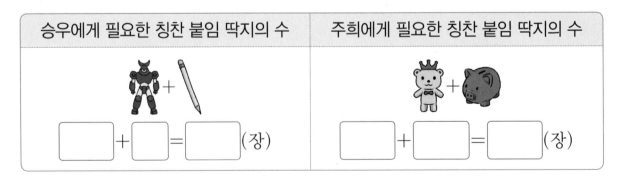

누가 탕수육을 먹을 수 있을까?

 쿠폰으로 중국요리를 시켜 먹으려고 합니다. 탕수육을 먹을 수 있는 사람을 구하세요.

 계산 결과만큼 쿠폰을 가지고 있어요. 계산을 하여 탕수육을 먹을 수 있는 사람을 찾아보세요.

민희
$36-5=$

주희
$38-6=$

석진
$42-12=$

답 _____

 보기 와 같이 계산 결과에 맞게 선을 그어 보세요.

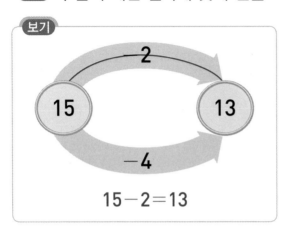

보기

15−2=13

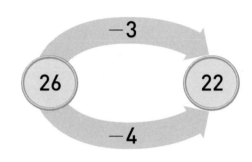

 보기 와 같이 윗접시 저울이 수평을 이루도록 상자의 빈 곳에 알맞은 무게를 써넣으세요.

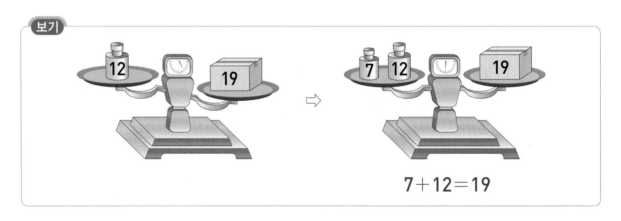

보기

7+12=19

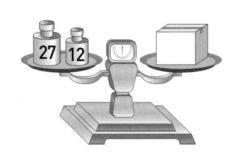

양쪽 무게가 같아야 어느 한쪽으로 기울어지지 않게 수평을 이뤄요.

창의 **5** 바르게 계산한 곳을 따라가며 선을 그어 보세요.

놀이터에 가려고 해요.

출발 ⇨ 10＋10＝20	20＋30＝50	30＋30＝50
30＋60＝80	40＋50＝90	70＋10＝80
20＋10＝40	50＋20＝60	

창의 **6** 화살표의 규칙 에 따라 빈칸에 알맞은 수를 써넣으세요.

규칙
➡ **5**만큼 더 작은 수
➡ **10**만큼 더 작은 수
⬆ **12**만큼 더 큰 수

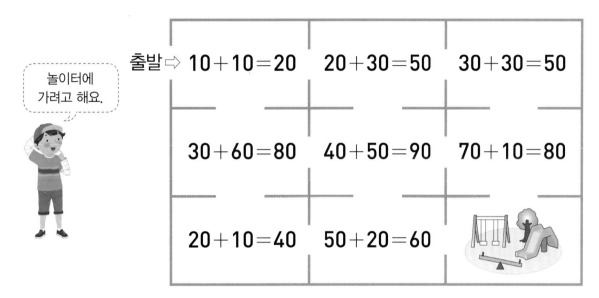

69 ➡ □ ➡ □

〈출발〉

가로, 세로 열쇠를 보고 퍼즐을 풀어 보세요.

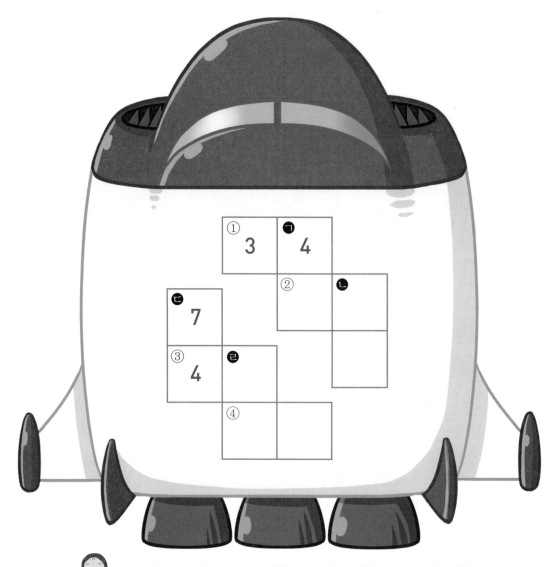

 가로 열쇠는 → 방향으로, 세로 열쇠는 ↓ 방향으로 풀어보자.

가로 열쇠	세로 열쇠
① 32＋2＝34	㉠ 58－15
② 14＋21	㉡ 83－31
③ 5＋40	㉢ 77－3＝74
④ 26＋42	㉣ 59－3

보기와 같이 왼쪽의 명령에 따라 로봇이 지나간 길을 그리고, 로봇이 주운 수 카드에 적힌 두 수의 합을 구하세요.

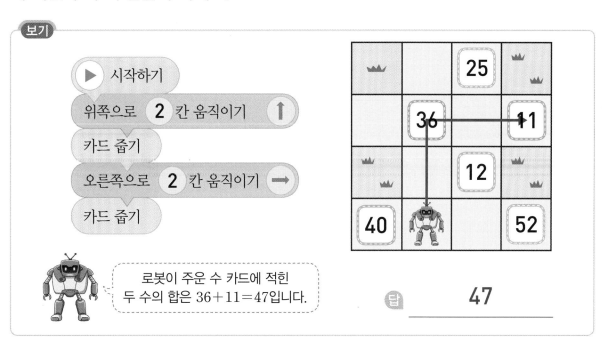

보기

▶ 시작하기
위쪽으로 **2** 칸 움직이기 ↑
카드 줍기
오른쪽으로 **2** 칸 움직이기 →
카드 줍기

로봇이 주운 수 카드에 적힌 두 수의 합은 36+11=47입니다.

답 ___47___

2주
특강

▶ 시작하기
위쪽으로 **2** 칸 움직이기 ↑
카드 줍기
왼쪽으로 **2** 칸 움직이기 ←
카드 줍기

답 _____

3주에 배울 내용을 알아볼까요? ❶

1-1 10을 모으기와 가르기

4와 6을 모으면 10이 되네.

10은 4와 6으로 가르기 할 수 있어.

10은 여러 가지 방법으로 모으고 가를 수 있어요.

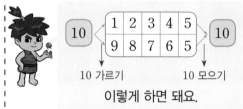

10	1	2	3	4	5		10
	9	8	7	6	5		

10 가르기   10 모으기

이렇게 하면 돼요.

🧸 모으기와 가르기를 해 보세요.

1-1
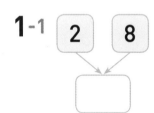

1-2
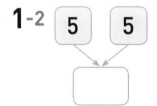

1-3

1-4
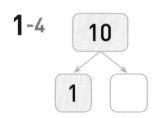

1-2 (몇십몇)＋(몇), (몇십몇)－(몇)

10＋7＝17에서
낱개는 낱개끼리 더하고,
10개씩 묶음은
그대로 써요.

17－3＝14에서
낱개는 낱개끼리 빼고,
10개씩 묶음은
그대로 써요.

3주 1일

📖 계산해 보세요.

2-1

```
  1 0
+   3
─────
```

2-2

```
  4 2
+   5
─────
```

2-3

```
  1 8
    2
─────
```

2-4

```
  1 4
−   4
─────
```

1일 세 수의 덧셈

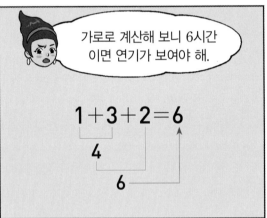

똑똑한 하루 계산법

• 세 수의 덧셈

㉠ 1+3+2의 계산

방법 1 가로로 계산하기

$$1 + 3 + 2 = 6$$

4

6

두 수를 더하고 나온 수에
나머지 한 수를 더해요.

방법 2 세로로 계산하기

$$\begin{array}{r} 1 \\ + 3 \\ \hline 4 \end{array} \qquad \begin{array}{r} 4 \\ + 2 \\ \hline 6 \end{array}$$

1+3+2=6

5

6

세 수의 덧셈은 계산
순서를 바꾸어 더해도
계산 결과가 같아요.

똑똑한 계산 연습

🐻 ☐ 안에 알맞은 수를 써넣으세요.

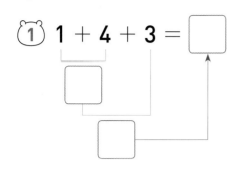

① $1 + 4 + 3 = \boxed{}$

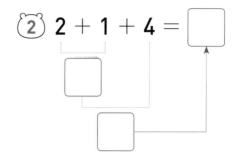

② $2 + 1 + 4 = \boxed{}$

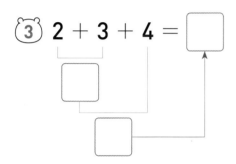

③ $2 + 3 + 4 = \boxed{}$

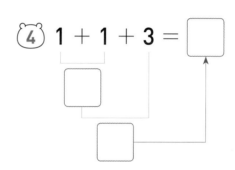

④ $1 + 1 + 3 = \boxed{}$

⑤
$$\begin{array}{r} 3 \\ +\ 2 \\ \hline \end{array} \quad \begin{array}{r} \\ +\ 3 \\ \hline \end{array}$$

⇨ $3+2+3= \boxed{}$

⑥
$$\begin{array}{r} 2 \\ +\ 2 \\ \hline \end{array} \quad \begin{array}{r} \\ +\ 5 \\ \hline \end{array}$$

⇨ $2+2+5= \boxed{}$

⑦
$$\begin{array}{r} 3 \\ +\ 3 \\ \hline \end{array} \quad \begin{array}{r} \\ +\ 1 \\ \hline \end{array}$$

⇨ $3+3+1= \boxed{}$

⑧
$$\begin{array}{r} 5 \\ +\ 2 \\ \hline \end{array} \quad \begin{array}{r} \\ +\ 1 \\ \hline \end{array}$$

⇨ $5+2+1= \boxed{}$

3주
1일

똑똑한 하루 계산법

• 세 수의 뺄셈

예 8−2−1의 계산

방법 1 가로로 계산하기

$$8 - 2 - 1 = 5$$

앞의 두 수의 뺄셈을 하여 나온 수에서 나머지 한 수를 빼요.

방법 2 세로로 계산하기

8−2−1=7 (×)

세 수의 뺄셈은 반드시 앞에서부터 차례로 계산해야 해요.

🐻 □ 안에 알맞은 수를 써넣으세요.

① 5 − 1 − 3 = □
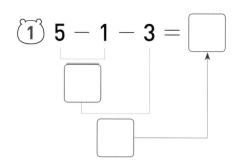

② 9 − 3 − 2 = □
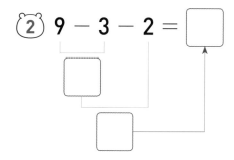

③ 6 − 3 − 1 = □
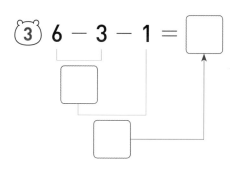

④ 8 − 4 − 1 = □
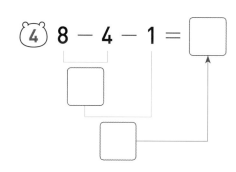

⑤
$$\begin{array}{r} 7 \\ -\ 2 \\ \hline \end{array}$$
$$\begin{array}{r} \\ -\ 2 \\ \hline \end{array}$$
⇨ 7 − 2 − 2 = □

⑥
$$\begin{array}{r} 9 \\ -\ 1 \\ \hline \end{array}$$
$$\begin{array}{r} \\ -\ 6 \\ \hline \end{array}$$
⇨ 9 − 1 − 6 = □

⑦
$$\begin{array}{r} 5 \\ -\ 3 \\ \hline \end{array}$$
$$\begin{array}{r} \\ -\ 2 \\ \hline \end{array}$$
⇨ 5 − 3 − 2 = □

⑧
$$\begin{array}{r} 8 \\ -\ 1 \\ \hline \end{array}$$
$$\begin{array}{r} \\ -\ 3 \\ \hline \end{array}$$
⇨ 8 − 1 − 3 = □

3주 1일

기초 집중 연습

🐻 빈칸에 알맞은 수를 써넣으세요.

1-1

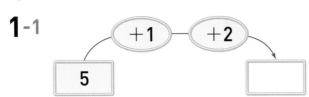

```
5  ( +1 )─( +2 ) → [   ]
```

1-2

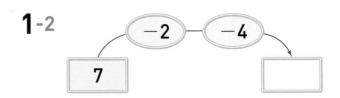

```
7  ( −2 )─( −4 ) → [   ]
```

1-3

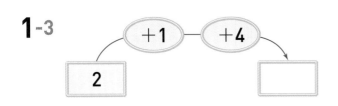

```
2  ( +1 )─( +4 ) → [   ]
```

1-4

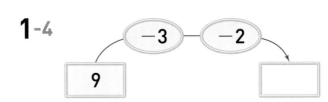

```
9  ( −3 )─( −2 ) → [   ]
```

🐻 빈칸에 알맞은 수를 써넣으세요.

2-1

```
4  →  +1+1  →  [   ]
```

2-2

```
6  →  −2−3  →  [   ]
```

2-3

```
3  →  +2+3  →  [   ]
```

2-4

```
8  →  −5−1  →  [   ]
```

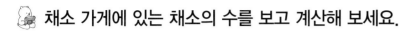

⏰ 제한 시간   9분

생활 속 계산

🐻 채소 가게에 있는 채소의 수를 보고 계산해 보세요.

3-1 🥔 + 🥕 + 🎃

⇨ 3 + ☐ + ☐ = ☐ (개)

3-2 🌰 − 🥕 − 🥔

⇨ ☐ − ☐ − 3 − ☐ (개)

3-3 🥒 + 🥕 + 🎃

⇨ ☐ + ☐ + ☐ = ☐ (개)

3-4 🥔 − 🎃 − 🥕

⇨ ☐ − ☐ − ☐ = ☐ (개)

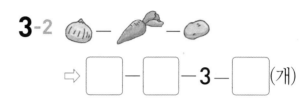

문장 읽고 계산식 구하기

4-1 안경을 쓴 학생이 1반에는 3명, 2반에는 4명, 3반에는 2명일 때 모두 몇 명?

식   3 + ☐ + ☐ = ☐ (명)

4-2 곶감 8개 중 내가 3개를 먹고 동생이 2개를 먹었다면 남아 있는 곶감은 몇 개?

식   8 − ☐ − ☐ = ☐ (개)

3주
1일

두 수를 더해 보기

오~.

신기하다!

저 녀석들은 나보다 강아지 얘기를 더 잘 듣는데?

그래도 저처럼 두목 곁에 있는 사람이 8명은 됩니다.

강아지쪽에 있는 4명도 원래는 내 부하라고!

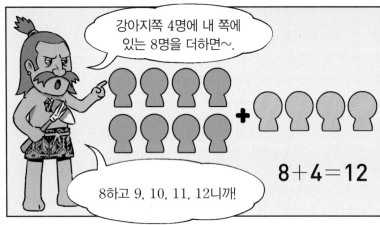

강아지쪽 4명에 내 쪽에 있는 8명을 더하면~.

8하고 9, 10, 11, 12니까!

8+4=12

12명이 모두 나를 따라야 한다고!

그건 걱정마세요!

똑똑한 하루 계산법

• **두 수를 더해 보기**

㉑ 8+4의 계산

8   9   10   11   12

$$8 + 4 = 12$$

파란색 모형 8개에서부터 초록색 모형 4개를 이어 세어 보면 8하고 9, 10, 11, 12예요.

○✕ 퀴즈

그림을 보고 계산이 옳으면 ○에, 틀리면 ✕에 ○표 하세요.

9   10   11

9+2=11

○   ✕

정답 ○에 ○표

🐻 고리가 모두 몇 개인지 구하세요.

①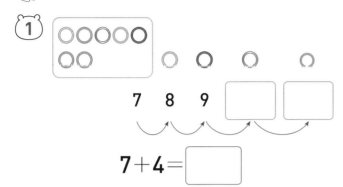

7 8 9 ☐ ☐

$7+4=$ ☐

②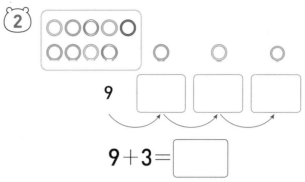

9 ☐ ☐ ☐

$9+3=$ ☐

🐻 두 수를 더해 보세요.

③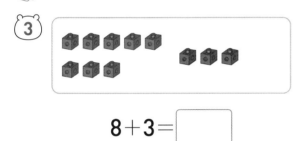

$8+3=$ ☐

④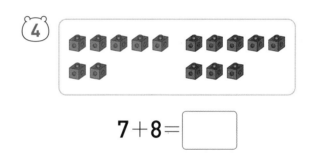

$7+8=$ ☐

⑤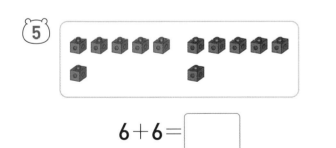

$6+6=$ ☐

⑥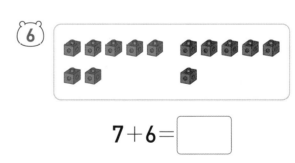

$7+6=$ ☐

⑦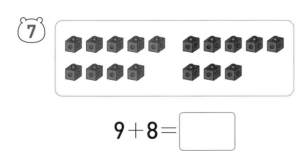

$9+8=$ ☐

⑧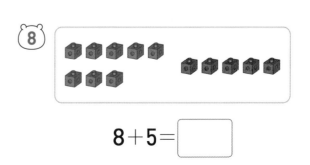

$8+5=$ ☐

3주
2일

2일 두 수를 바꾸어 더해 보기

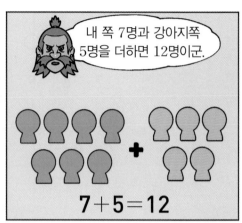

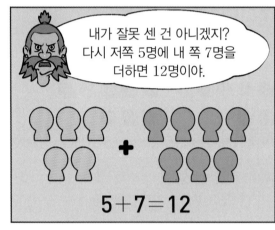

똑똑한 하루 계산법

• 두 수를 바꾸어 더해 보기

예 7+5와 5+7의 계산 결과 비교하기

$$7+5=12$$

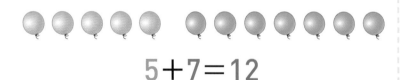

$$5+7=12$$

두 수를 바꾸어 더해도 계산 결과는 같아요.

○× 퀴즈

 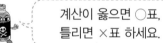

계산이 옳으면 ○표, 틀리면 ×표 하세요.

8+3=11 3+8=11	❶

6+7=12 7+6=13	❷

정답 ❶ ○   ❷ ×

똑똑한 계산 연습

🐻 두 수를 바꾸어 더해 보세요.

①

$$6+5=\boxed{}$$

$$5+6=\boxed{}$$

②

$$8+6=\boxed{}$$

$$6+8=\boxed{}$$

③ 지우개 지우개 지우개 지우개 지우개 지우개 지우개 지우개 지우개 지우개 지우개 지우개 지우개

$$7+6=\boxed{}$$

지우개 지우개 지우개 지우개 지우개 지우개 지우개 지우개 지우개 지우개 지우개 지우개 지우개

$$6+7=\boxed{}$$

④

$$9+2=\boxed{}$$

$$2+9=\boxed{}$$

⑤

$$8+3=\boxed{}$$

$$3+8=\boxed{}$$

⑥

$$9+7=\boxed{}$$

$$7+9=\boxed{}$$

3주
2일

기초 집중 연습

🐻 빈칸에 두 수의 합을 써넣으세요.

1-1
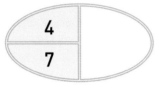
| 4 |
| 7 |

1-2
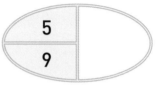
| 5 |
| 9 |

1-3
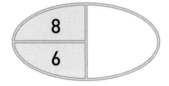
| 8 |
| 6 |

1-4
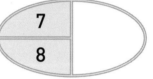
| 7 |
| 8 |

🐻 ☐ 안에 알맞은 수를 써넣으세요.

2-1 $7+5=\boxed{}+7$

2-2 $4+9=9+\boxed{}$

2-3 $9+8=\boxed{}+9$

2-4 $6+7=7+\boxed{}$

2-5 $3+9=\boxed{}+3$

2-6 $5+8=8+\boxed{}$

⏰ 제한 시간 9분

생활 속 계산

🐻 과녁 맞히기 놀이를 했습니다. 모두 몇 점을 받았는지 구하세요.

3-1

$9 +$ ☐ $=$ ☐ (점)

3-2

☐ $+ 7 =$ ☐ (점)

3-3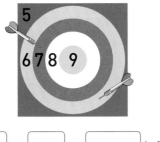

☐ $+$ ☐ $=$ ☐ (점)

3-4

☐ $+$ ☐ $=$ ☐ (점)

3주
2일

문장 읽고 계산식 세우기

4-1 4보다 8만큼 더 큰 수는?

식 $4 +$ ☐ $=$ ☐

4-2 6보다 9만큼 더 큰 수는?

식 ☐ $+ 9 =$ ☐

4-3 빨간색 구슬 5개와 파란색 구슬 7개가 있다면 모두 몇 개?

식 ☐ $+$ ☐ $=$ ☐ (개)

4-4 병아리 8마리와 닭 6마리가 있다면 모두 몇 마리?

식 ☐ $+$ ☐ $=$ ☐ (마리)

10이 되는 더하기 ①

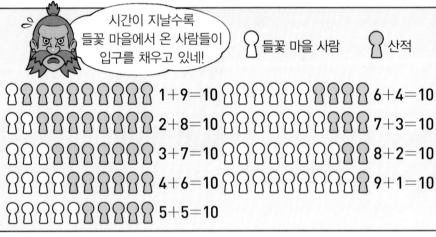

똑똑한 하루 계산법

• 10이 되는 더하기의 덧셈식

1+9=10	6+4=10
2+8=10	7+3=10
3+7=10	8+2=10
4+6=10	9+1=10
5+5=10	모아서 10이 되는 두 수는 1과 9, 2와 8, 3과 7, 4와 6, 5와 5예요.

똑똑한 계산 연습

⏰ 제한 시간 3분

🐻 그림에 알맞은 덧셈식을 만들어 보세요.

①

$$4 + \boxed{} = 10$$

②

$$\boxed{} + \boxed{} = 10$$

③

$$\boxed{} + \boxed{} = 10$$

④

$$\boxed{} + \boxed{} = 10$$

🐻 덧셈을 해 보세요.

⑤ $9 + 1 = \boxed{}$

⑥ $6 + 4 = \boxed{}$

⑦ $3 + 7 = \boxed{}$

⑧ $8 + 2 = \boxed{}$

⑨ $4 + 6 = \boxed{}$

⑩ $5 + 5 = \boxed{}$

⑪ $2 + 8 = \boxed{}$

⑫ $7 + 3 = \boxed{}$

3주
3일

10이 되는 더하기 ②

엄마~!

무사해서 다행이다!

수리가 신기한 얘기로 산적들을 재미있게 해준 덕분이에요.

히힛!

산적을 물리쳤으니 이제 선물을 되찾아볼까?

산적의 구슬이 3개, 전체 구슬이 10개면 우리 구슬은······.

7개요!

$3 + \boxed{7} = 10$

우리 구슬은 7개 그대로구나!

정말 다행이에요.

똑똑한 하루 계산법

- 10이 되는 더하기에서 모르는 수 구하기

  예) $3 + \square = 10$에서 $\square$ 구하기

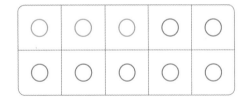

10칸을 모두 채우려면 ○는 **7**개 더 필요합니다.

$$3 + \boxed{7} = 10$$

3과 더해서 10이 되는 수는 7이에요.

○✗ 퀴즈

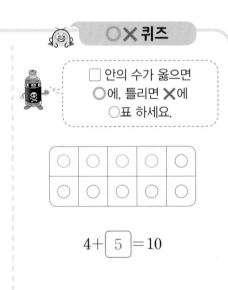

□ 안의 수가 옳으면 ○에, 틀리면 ✗에 ○표 하세요.

$4 + \boxed{5} = 10$

○   ✗

정답 ✗에 ○표

🐻 합이 10이 되도록 ○를 더 그려 넣고 ☐ 안에 알맞은 수를 써넣으세요.

①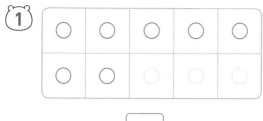

$$7 + \boxed{} = 10$$

②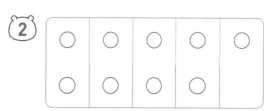

$$9 + \boxed{} = 10$$

③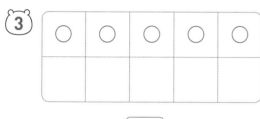

$$5 + \boxed{} = 10$$

④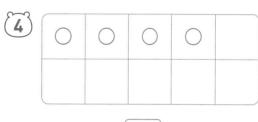

$$4 + \boxed{} = 10$$

⑤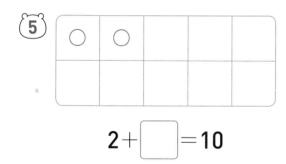

$$2 + \boxed{} = 10$$

⑥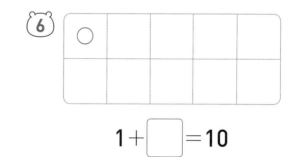

$$1 + \boxed{} = 10$$

🐻 ☐ 안에 알맞은 수를 써넣으세요.

⑦ $\boxed{} + 6 = 10$

⑧ $\boxed{} + 8 = 10$

⑨ $\boxed{} + 3 = 10$

⑩ $\boxed{} + 5 = 10$

🐻 빈칸에 알맞은 수를 써넣으세요.

1-1

3	+7	

1-2

1	+9	

1-3

6	+4	

1-4

2	+8	

🐻 □ 안에 알맞은 수를 써넣으세요.

2-1

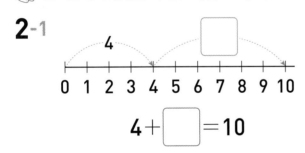

$$4+\boxed{}=10$$

2-2

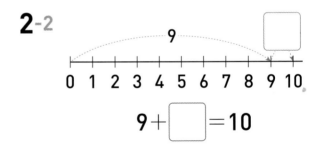

$$9+\boxed{}=10$$

2-3

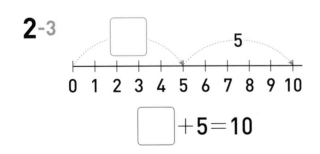

$$\boxed{}+5=10$$

2-4

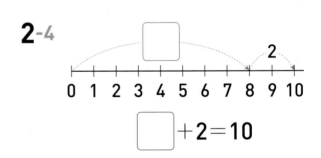

$$\boxed{}+2=10$$

⏰ 제한 시간 9분

생활 속 계산

🐻 빵의 수와 상자에 적힌 수의 합이 10이 되도록 선을 이어 보세요.

3-1

· · ·

· · ·

| 3 | 6 | 9 |

3-2

· · ·

· · ·

| 7 | 8 | 5 |

문장 읽고 계산식 세우기

3주 3일

4-1

4와 6의 합은?

식 4 + ☐ = ☐

4-2

8과 2의 합은?

식 ☐ + 2 = ☐

4-3

준우가 동화책을 어제 7쪽 읽고, 오늘 3쪽 읽었다면 모두 몇 쪽을 읽었는지?

식 ☐ + ☐ = ☐ (쪽)

4-4

꽃을 다미가 5송이, 동생이 5송이 심었다면 모두 몇 송이를 심었는지?

식 ☐ + ☐ = ☐ (송이)

10에서 빼기 ①

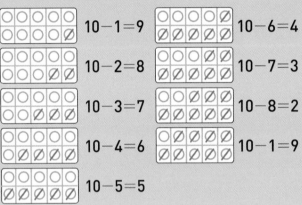

똑똑한 하루 계산법

• 10에서 빼기의 뺄셈식

(그림)	$10-1=9$	(그림)	$10-6=4$
(그림)	$10-2=8$	(그림)	$10-7=3$
(그림)	$10-3=7$	(그림)	$10-8=2$
(그림)	$10-4=6$	(그림)	$10-9=1$
(그림)	$10-5=5$	10은 1과 9, 2와 8, 3과 7, 4와 6, 5와 5로 가를 수 있어요.	

🐻 그림에 맞는 뺄셈식을 만들어 보세요.

①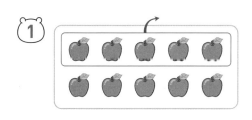

$$10-5=\boxed{}$$

②

$$10-6=\boxed{}$$

③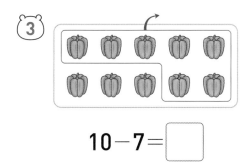

$$10-7=\boxed{}$$

④

$$10-9=\boxed{}$$

3주
4일

🐻 뺄셈을 해 보세요.

⑤ $10-2=\boxed{}$ ⑥ $10-3=\boxed{}$

⑦ $10-4=\boxed{}$ ⑧ $10-5=\boxed{}$

⑨ $10-1=\boxed{}$ ⑩ $10-8=\boxed{}$

10에서 빼기 ②

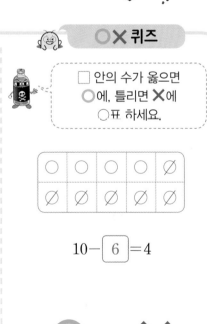

똑똑한 하루 계산법

- 10에서 빼기에서 모르는 수 구하기

  예 10−□=8에서 □ 구하기

○	○	○	○	○
○	○	○	⦸	⦸

  ○가 10개 중에서 8개 남으려면 /으로 2개 지웁니다.

  $$10 - \boxed{2} = 8$$

  10에서 8이 되려면 2를 빼야 해요.

○✕ 퀴즈

□ 안의 수가 옳으면 ○에, 틀리면 ✕에 ○표 하세요.

○	○	○	○	⦸
⦸	⦸	⦸	⦸	⦸

$$10 - \boxed{6} = 4$$

○   ✕

정답 ○에 ○표

🐻 남아 있는 수가 되도록 ○를 /으로 지우고 ☐ 안에 알맞은 수를 써넣으세요.

①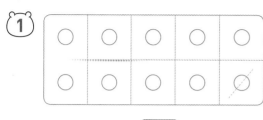

$10 - \boxed{} = 9$

②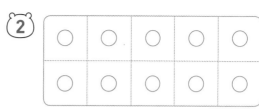

$10 - \boxed{} = 7$

③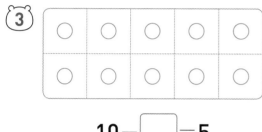

$10 - \boxed{} = 5$

④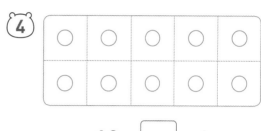

$10 - \boxed{} = 6$

⑤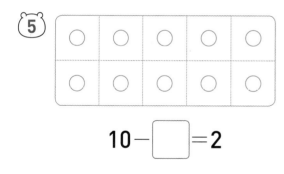

$10 - \boxed{} = 2$

⑥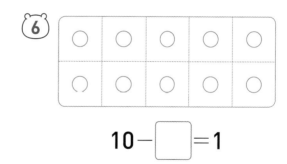

$10 - \boxed{} = 1$

🐻 ☐ 안에 알맞은 수를 써넣으세요.

⑦ $10 - \boxed{} = 4$

⑧ $10 - \boxed{} = 3$

⑨ $10 - \boxed{} = 5$

⑩ $10 - \boxed{} = 8$

기초 집중 연습

🐻 빈칸에 두 수의 차를 써넣으세요.

1-1

10	8

1-2

10	3

1-3

10	5

1-4

10	1

🐻 ☐ 안에 알맞은 수를 써넣으세요.

2-1

2-2

10 → — ☐ → 6

2-3

2-4

10 → — ☐ → 5

생활 속 계산

🐻 구슬 10개가 들어 있는 상자에서 손바닥 위의 구슬 수만큼 꺼냈습니다. 상자에 남은 구슬은 몇 개인지 뺄셈식을 만들어 보세요.

3-1

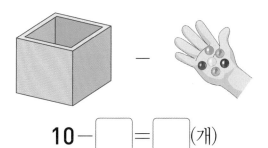

10 − ⬚ = ⬚ (개)

3-2

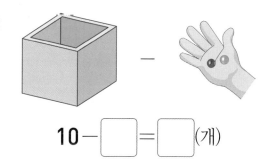

10 − ⬚ = ⬚ (개)

3-3

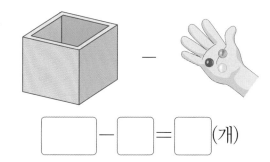

⬚ − ⬚ = ⬚ (개)

3-4

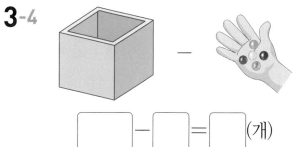

⬚ − ⬚ = ⬚ (개)

3주 **4**일

문장 읽고 계산식 세우기

🐻 어떤 수를 ■라 하고 식을 세워 답을 구하세요.

4-1

10에서 어떤 수를 뺐더니 9가 되었다면 어떤 수는 얼마인지?

식   10 − ■ = ⬚

답   ■ = ⬚

4-2

10에서 어떤 수를 뺐더니 6이 되었다면 어떤 수는 얼마인지?

식   10 − ■ = ⬚

답   =

10을 만들어 더하기 ①

자~ 가만히 있어 봐.

까악~!

새 덕분에 구슬 2개를 되찾았어!

남아 있던 구슬 8개와 찾은 구슬 2개를 더해서 구슬은 10개가 됐네!

어? 아까 달아난 산적이다!

에잇, 도망쳐!

산적들이 초록 구슬 4개를 두고 갔네.

구슬 10개에 이것까지 합하면 구슬은 모두 14개야.

$$8 + 2 + 4 = 14$$
10
14

구슬 14개면 푸짐한 선물이 되겠다.

잔디 아빠 기분도 풀리겠죠?

똑똑한 하루 계산법

- **앞의 두 수로 10을 만들어 더하기**

  예) $8 + 2 + 4$의 계산

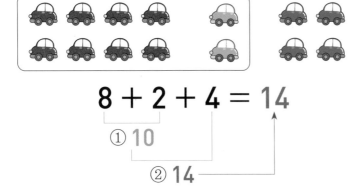

$$8 + 2 + 4 = 14$$
① 10
② 14

① 앞의 두 수를 더해서 10을 만듭니다.
② 만든 10에 나머지 한 수를 더합니다.

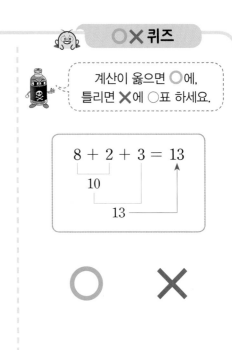

똑똑한 계산 연습

▶정답 및 풀이 17쪽

제한 시간 3분

▢ 안에 알맞은 수를 써넣으세요.

① $1 + 9 + 6 = \square$

② $4 + 6 + 5 = \square$

③ $7 + 3 + 2 = \square$

④ $5 + 5 + 3 = \square$

⑤ $2 + 8 + 7 = \square$

⑥ $9 + 1 + 1 = \square$

⑦ $6 + 4 + 4 = \square$

⑧ $3 + 7 + 8 = \square$

10을 만들어 더하기 ②

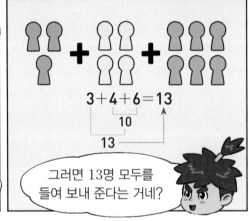

똑똑한 하루 계산법

• 뒤의 두 수로 10을 만들어 더하기

예 3+4+6의 계산

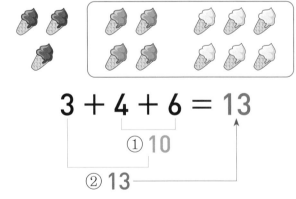

$$3 + 4 + 6 = 13$$
① 10
② 13

① 뒤의 두 수를 더해서 10을 만듭니다.
② 만든 10에 나머지 한 수를 더합니다.

○✕ 퀴즈

계산이 옳으면 ○에, 틀리면 ✕에 ○표 하세요.

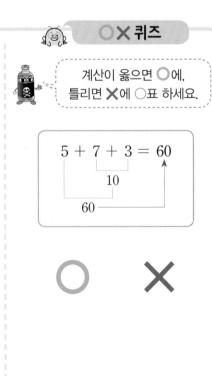

$$5 + 7 + 3 = 60$$
10
60

○   ✕

정답 ✕에 ○표

똑똑한 계산 연습

□ 안에 알맞은 수를 써넣으세요.

① 4 + 7 + 3 = ☐

② 2 + 9 + 1 = ☐

③ 6 + 2 + 8 = ☐

④ 1 + 5 + 5 = ☐

⑤ 8 + 6 + 4 = ☐

⑥ 9 + 3 + 7 = ☐

⑦ 5 + 8 + 2 = ☐

⑧ 6 + 1 + 9 = ☐

기초 집중 연습

🐻 합이 10이 되는 두 수를 ◯로 묶고 합을 구하세요.

1-1 $5+5+2=$ ☐

1-2 $3+4+6=$ ☐

1-3 $9+1+5=$ ☐

1-4 $1+7+3=$ ☐

1-5 $4+6+7=$ ☐

1-6 $6+2+8=$ ☐

🐻 빈칸에 알맞은 수를 써넣으세요.

2-1
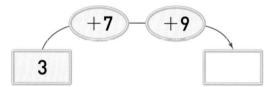

2-2
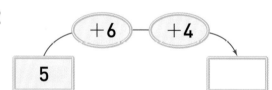

2-3
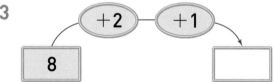

2-4
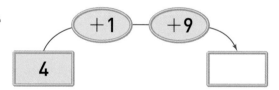

생활 속 계산

🐻 공은 모두 몇 개인지 구하세요.

3-1

🏀 + ⚽ + ⚾

⇨ **3** + **4** + **6** = [ ] (개)

3-2

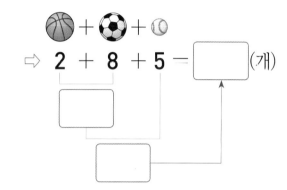

🏀 + ⚽ + ⚾

⇨ **2** + **8** + **5** = [ ] (개)

문장 읽고 계산식 세우기

4-1 바구니에 사과가 3개, 배가 7개, 키위가 4개 있다면 과일은 모두 몇 개?

식 **3**+**7**+[ ]=[ ] (개)

4-2 위인전이 6권, 동화책이 1권, 만화책이 9권 있다면 책은 모두 몇 권?

식 [ ]+**1**+**9**=[ ] (권)

4-3 노란색 풍선이 5개, 파란색 풍선이 5개, 빨간색 풍선이 7개 있다면 풍선은 모두 몇 개?

식 **5**+[ ]+[ ]=[ ] (개)

4-4 동물원에 기린이 1마리, 토끼가 6마리, 코끼리가 4마리 있다면 동물은 모두 몇 마리?

식 [ ]+**6**+[ ]=[ ] (마리)

3주
5일

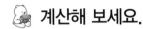 계산해 보세요.

① 7+6=☐

6+7=☐

② 8+9=☐

9+8=☐

③ 4+8=☐

8+4=☐

④ 9+6=☐

6+9=☐

⑤ 2+8=☐

⑥ 10−1=☐

⑦ 3+7=☐

⑧ 10−5=☐

⑨ 1+9=☐

⑩ 10−4=☐

⏰ 제한 시간 10분

⑪ $1+6+1=$ ☐

⑫ $9-5-3=$ ☐

⑬ $4+3+2=$ ☐

⑭ $8-1-2=$ ☐

⑮ $2+1+4=$ ☐

⑯ $6-1-3=$ ☐

3주

평가

⑰ $5+5+7=$ ☐

⑱ $6+9+1=$ ☐

⑲ $2+8+4=$ ☐

⑳ $3+6+4=$ ☐

제한 시간 안에 정확하게
모두 풀었다면 여러분은 진정한 **계산왕!**

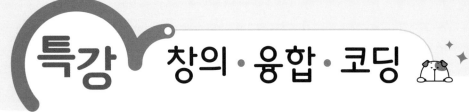

특강 창의·융합·코딩

주사위 눈의 수의 합과 차는?

융합1 주사위 던지기 놀이를 하고 있습니다. 세 사람이 던져서 나온 눈의 수의 합과 차를 각각 구하세요.

얘들아~. 주사위 던지기 놀이를 하자. 하나, 둘, 셋!

내가 던져 나온 눈의 수는 6이야.

내 주사위 눈의 수는 2야.

내가 던져 나온 주사위 눈의 수는 1이야.

우리 셋이 던져서 나온 눈의 수의 합과 차는 각각 얼마일까?

세 사람이 던져 나온 주사위 눈의 수의 합을 구해 봐요.

세 사람이 던져 나온 주사위 눈의 수의 차를 구해 봐요.

6+2+1=☐

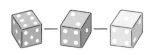

6−2−1=☐

걸린 고리의 수가 더 많은 사람은?

융합 2 도영이와 선우가 고리 던지기 놀이를 하고 있습니다. 걸린 고리의 수가 더 많은 사람을 찾아 쓰세요.

 두 사람의 걸린 고리의 수를 구해 봐요.

	도영	선우
걸린 고리의 수	10 − ☐ =3 ⇨ ☐ 개	10 − ☐ =5 ⇨ ☐ 개

답 _____

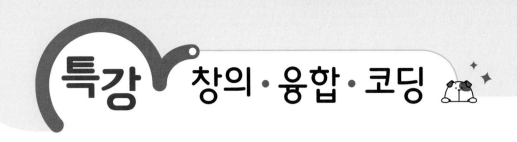

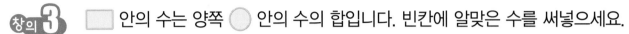

창의 **3** ☐ 안의 수는 양쪽 ○ 안의 수의 합입니다. 빈칸에 알맞은 수를 써넣으세요.

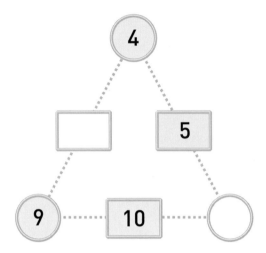

융합 **4** 다음 음계를 보고 ○ 안에 계이름이 나타내는 번호를 써넣고 계산해 보세요.

번호	1	2	3	4	5	6	7
계이름	도	레	미	파	솔	라	시

(1) 도+레+솔 ⇨ (1) + ( ) + ( ) = ☐

(2) 시−미−레 ⇨ ( ) − ( ) − ( ) = ☐

코딩 5 보기 의 순서도를 보고 순서도에서 처리되어 나오는 값을 빈칸에 써넣으세요.

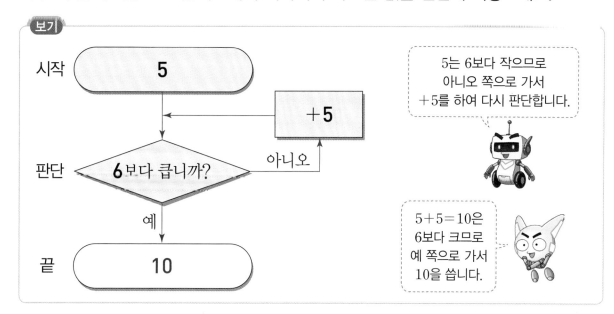

5는 6보다 작으므로 아니오 쪽으로 가서 +5를 하여 다시 판단합니다.

5+5=10은 6보다 크므로 예 쪽으로 가서 10을 씁니다.

3주
특강

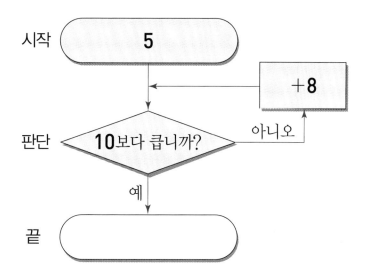

창의**6** 보기와 같이 가운데 수가 차가 되는 두 수를 찾아 색칠하고 알맞은 뺄셈식을 만들어 보세요.

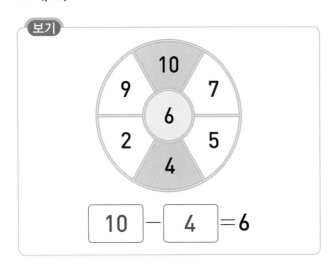

보기

$$10 - 4 = 6$$

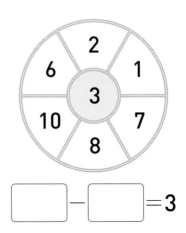

$$\boxed{} - \boxed{} = 3$$

창의**7** 사다리를 타고 내려 가면서 만나는 계산 방법에 따라 도착한 곳에 계산 결과를 써넣 으세요.

선을 따라 내려가다가 가로로 놓은 선을 만나면 가로 선을 따라 갑니다.

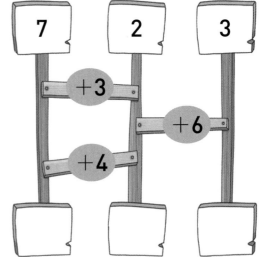

🐻 같은 그림은 같은 수를 나타냅니다. 식을 보고 그림이 나타내는 수를 구하세요.

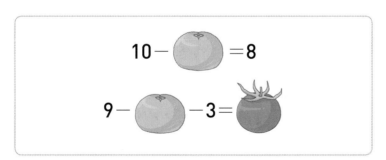

들꽃 마을에서 우리에게 선물을 보내왔다!

우리의 전통에 따라 이 구슬을 보관하겠소.

이 곳에 마을의 보물을 보관하고 있어요.

오호~.

원래 가지고 있는 구슬에 가져온 구슬을 같은 색깔끼리 더해서 담을 겁니다.

8+7=15(개)   5+7=12(개)

그러면 파란색 구슬은 15개, 노란색 구슬은 12개가 되는군.

와~. 수리 넌 세지도 않고 바로 알 수 있어?

두 수 중 하나를 가르기 해서 계산하면 쉬워.

8+7=15
2 5

5+7=12
2 3

보물을 가져다준 것에 고마움을 담아 잔칫상을 준비했습니다.

와, 지구에 이렇게 먹을 게 많았다니!

잘 먹겠습니다!

와구 와구

너 혼자 다 먹으면 다른 사람이 먹을 음식이 없잖아!

그런 쪽은 계산이 잘 안 되네…….

4주에 배울 내용을 알아볼까요? ❶

똑똑한 하루 계산

1일 10을 이용하여 모으기와 가르기
2일 덧셈하기
3일 여러 가지 방법으로 덧셈하기, 덧셈식의 계산 결과의 크기 비교하기
4일 뺄셈하기
5일 여러 가지 방법으로 뺄셈하기, 뺄셈식의 계산 결과의 크기 비교하기

뭐? 우주선 부품을 찾는 걸 도와달라고?

네, 이 동굴 안쪽으로 남은 2개가 들어갔어요.

좋다. 나와 함께 부품을 찾으러 갈 전사는 누구인가?

웅성 웅성

1조인 저희가 촌장님을 지키겠습니다!

2조인 저희도 힘을 보태겠습니다!

역시 우리 큰돌 마을 사람들은 용감하다!

동굴 안쪽에 있는 검치호를 물리치고 먼 별에서 온 친구를 돕자!

검치호요?

나 하나쯤 빠져도……

$16 - 8 = 8$
6 2

헉, 1조 16명 중 8명이나 빠져 8명만 남다니!

$14 - 8 = 6$
4 4

2조 14명 중 8명이나 빠져서 6명만 남았군.

검치호는 곤란하지……

우리도 빠지자!

이거 참 민망하네……

원래 우리 마을 사람들이 이렇진 않은데……

1-2 **100까지의 수**

순서대로 적혀 있는 돌에서 빠진 돌에 적혀 있는 번호는 무엇일까?

1만큼 더 큰 수와 1만큼 더 작은 수를 이용하면 알 수 있어.

61보다 1만큼 더 작은 수는 60이에요.

61보다 1만큼 더 큰 수는 62예요.

□ 안에 알맞은 수를 써넣으세요.

1-1
1만큼 더 작은 수 [ ] — **80** — 1만큼 더 큰 수 [ ]

1-2
1만큼 더 작은 수 [ ] — **56** — 1만큼 더 큰 수 [ ]

1-3
1만큼 더 작은 수 [ ] — **71** — 1만큼 더 큰 수 [ ]

1-4
1만큼 더 작은 수 [ ] — **94** — 1만큼 더 큰 수 [ ]

1-2 덧셈과 뺄셈(1)

갈색 공룡알은 28개, 흰색 공룡알은 11개 있네.

그럼 공룡알이 모두 몇 개지?

나는 갈색 공룡알이 흰색 공룡알보다 몇 개 더 많은지 궁금해!

공룡알은 모두
$28+11=39$(개)예요.

갈색 공룡알은
흰색 공룡알보다
$28-11=17$(개)
더 많아요.

4주 1일

 계산해 보세요.

2-1
$$\begin{array}{r} 4\ 2 \\ +\ \ \ 7 \\ \hline \end{array}$$

2-2
$$\begin{array}{r} 5\ 0 \\ +\ 2\ 0 \\ \hline \end{array}$$

2-3
$$\begin{array}{r} 3\ 1 \\ +\ 6\ 8 \\ \hline \end{array}$$

2-4
$$\begin{array}{r} 3\ 6 \\ -\ \ \ 2 \\ \hline \end{array}$$

2-5
$$\begin{array}{r} 9\ 0 \\ -\ 7\ 0 \\ \hline \end{array}$$

2-6
$$\begin{array}{r} 8\ 5 \\ -\ 4\ 3 \\ \hline \end{array}$$

10을 이용하여 모으기와 가르기 ①

마을이 생긴 이후로 여기 너머는 아무도 가본 적이 없어.

지금까지 부품을 못 봤으니 안쪽으로 가야겠네요.

하지만 안쪽에 있다는 검치호를 만나면 어떡해요?

촌장님과 1조는 9명, 2조는 6명인데 뭐가 무서워?

이럴수록 침착해야 해. 차분히 작전을 세우자.

내가 듣기로 검치호는 10명이 모이는 걸 굉장히 싫어한다고 했어.

그래서요?

검치호를 만나면 우리가 얼른 10명과 5명으로 가르는 거야.

오~. 그 때 검치호를 공격하면 되겠네요!

역시 촌장님은 천재예요. 천재!

작전만 세우다 끝나겠다!

똑똑한 하루 계산법

- **그림으로 10을 이용하여 모으기와 가르기**

  예) 9와 6을 10을 이용하여 모으기와 가르기

○✕ 퀴즈

4와 7을 10을 이용하여 모으기와 가르기를 한 것이 옳으면 ○에, 틀리면 ✕에 ○표 하세요.

정답 ○에 ○표

똑똑한 계산 연습

🐻 10을 이용하여 모으기와 가르기를 해 보세요.

①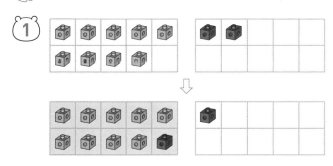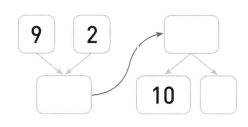

②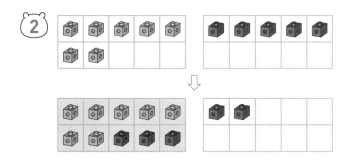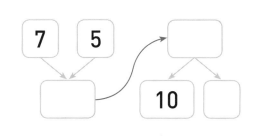

③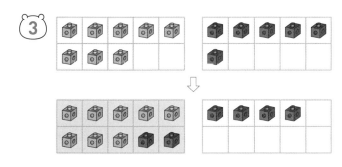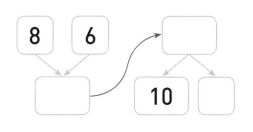

④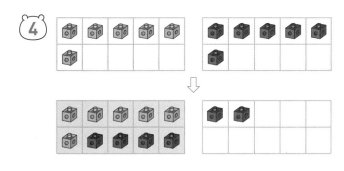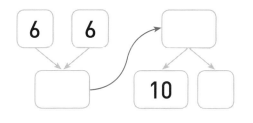

10을 이용하여 모으기와 가르기 ②

똑똑한 하루 계산법

• 10을 이용하여 모으기와 가르기

예 6과 8을 10을 이용하여 모으기와 가르기

| 6 | 8 | → | 14 |

| 14 | | 10 | 4 |

예 7과 5를 10을 이용하여 모으기와 가르기

| 7 | 5 | → | 12 |

| 12 | | 10 | 2 |

○✕ 퀴즈

7과 7을 10을 이용하여 모으기와 가르기를 한 것이 옳으면 ○에, 틀리면 ✕에 ○표 하세요.

| 7 | 7 | → | 17 |

| 17 | | 10 | 7 |

○   ✕

정답 ✕에 ○표

🐻 10을 이용하여 모으기와 가르기를 해 보세요.

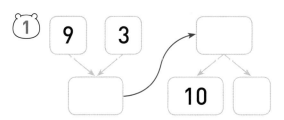

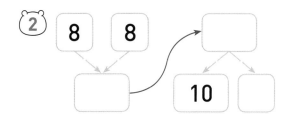

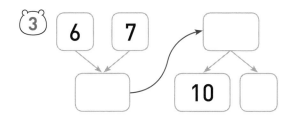

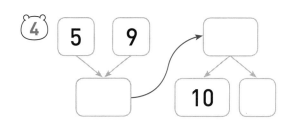

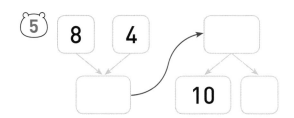

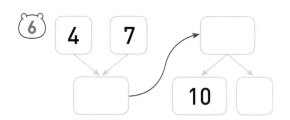

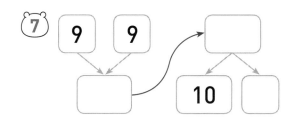

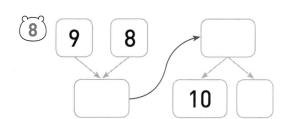

4주
1일

기초 집중 연습

🐻 빈 곳에 알맞은 수를 써넣으세요.

1-1

8 → □ → 10
8 → □ → □

1-2

5 → □ → 10
7 → □ → □

1-3

9 → □ → 10
5 → □ → □

1-4

7 → □ → 10
8 → □ → □

1-5

8 → □ → 10
6 → □ → □

1-6

9 → □ → 10
9 → □ → □

1-7

6 → □ → 10
7 → □ → □

1-8

5 → □ → 10
6 → □ → □

제한 시간 9분

생활 속 문제

🐻 초콜릿을 10칸인 상자 한 칸에 1개씩 담고 남는 초콜릿은 몇 개인지 구하세요.

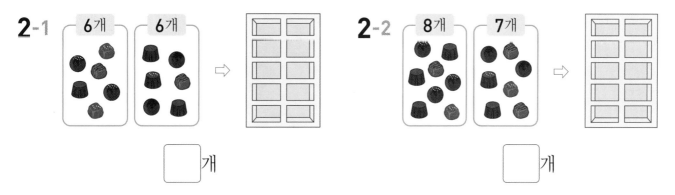

2-1 6개 6개 ⇨ ☐ 개

2-2 8개 7개 ⇨ ☐ 개

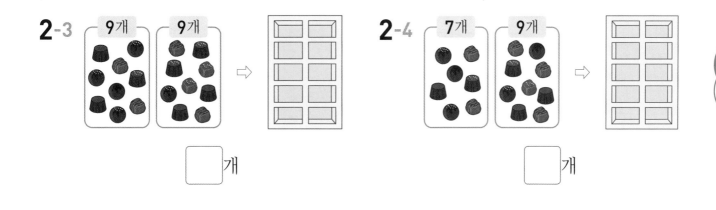

2-3 9개 9개 ⇨ ☐ 개

2-4 7개 9개 ⇨ ☐ 개

4주
1일

문장 읽고 문제 해결하기

3-1 달걀 9개와 7개를 모으기 하여 10개짜리 달걀판 1개에 담고 남는 달걀은 몇 개?

답 _____ 개

3-2 종이 4장과 8장을 모으기 하여 10장을 한 묶음으로 묶고 남는 종이는 몇 장?

답 _____ 장

덧셈하기 ①

촌장님, 동굴이 둘로 갈라졌습니다.

어느 쪽이 맞는 길인지 모르니까 우리도 둘로 나누자.

우리는 이쪽으로 갈테니 너희는 저쪽으로 가라.

그럼 있다가 봐요~.

다른 길로 갔는데 다시 만났다!

빠진 사람이 없는지 세어 보자.

이쪽은 8명.

이쪽은 7명.

$$8+7=15$$
$$2 \quad 5$$

15명이면 맞군.

저벅 저벅

앗, 드디어 검치호가 나타나려나 봐!

저희 왔어요!

깜짝이야!

똑똑한 하루 계산법

• **더하는 수를 가르기 하여 덧셈하기**

예 8+7의 계산

⇩

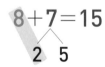
$$8+7=15$$
$$2 \quad 5$$

8+7에서 7을 2와 5로 가르기 하여
8과 2를 더해 10을 만들고 남은 5를 더하면
15가 돼요.

○✕ 퀴즈

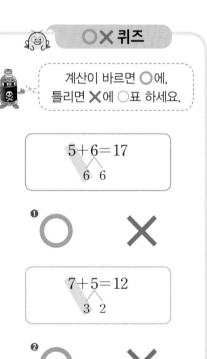

계산이 바르면 ○에, 틀리면 ✕에 ○표 하세요.

$$5+6=17$$
$$6 \quad 6$$

❶ ○ ✕

$$7+5=12$$
$$3 \quad 2$$

❷ ○ ✕

정답 ❶ ✕에 ○표 ❷ ○에 ○표

똑똑한 계산 연습

🐻 더하는 수를 가르기 하여 덧셈을 해 보세요.

①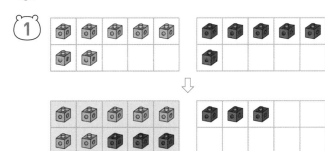

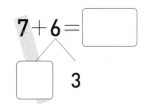

$7+6=\boxed{}$

$\boxed{}$ 3

오른쪽 수판에서 왼쪽 수판으로 빨간색 모형 3개를 옮겨서 모형 10개를 만들었어요.

②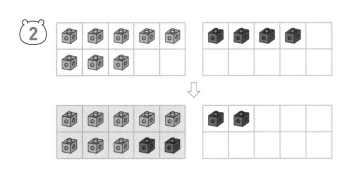

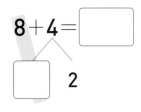

$8+4=\boxed{}$

$\boxed{}$ 2

③ $9+3=\boxed{}$

$\boxed{}$ 2

④ $6+5=\boxed{}$

$\boxed{}$ 1

⑤ $8+6=\boxed{}$

$\boxed{}$ 4

⑥ $7+4=\boxed{}$

$\boxed{}$ 1

⑦ $9+8=\boxed{}$

$\boxed{}$ 7

⑧ $6+6=\boxed{}$

$\boxed{}$ 2

덧셈하기 ②

그나저나 여기는 왜 왔니?

그냥요.

여긴 위험한 곳이야.

너희 때문에 전사들이 놀라서 또 도망갔어.

다시 조를 정렬하고 인원을 파악해 봐.

1조는 4명, 2조는 9명으로 정렬했습니다.

4+9=13
3 1

13명이면 인원이 또 줄었네…….

전사 한 명이 엄청 아쉬운 때인데.

자, 또 출발하자!

너희는 어서 집으로 돌아가렴.

힝~.

똑똑한 하루 계산법

• **더해지는 수를 가르기 하여 덧셈하기**

㉠ 4+9의 계산

$$4+9=13$$
3 1

4+9에서 4를 3과 1로 가르기 하여 9와 1을 더해 10을 만들고 남은 3을 더하면 13이 돼요.

○╳ 퀴즈

계산이 바르면 ○에, 틀리면 ╳에 ○표 하세요.

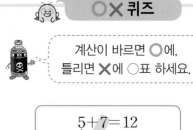

$$5+7=12$$
2 3

❶ ○   ╳

$$3+8=10$$
1 2

❷ ○   ╳

정답 ❶ ○에 ○표 ❷ ╳에 ○표

똑똑한 계산 연습

더해지는 수를 가르기 하여 덧셈을 해 보세요.

1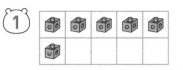

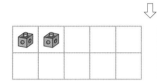

$6+6=$ ☐

2 ☐

왼쪽 수판에서 오른쪽 수판으로 초록색 모형 4개를 옮겨서 모형 10개를 만들었어요.

2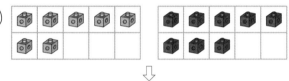

  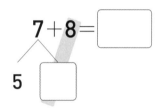

$7+8=$ ☐

5 ☐

3 $9+4=$ ☐

3 ☐

4 $5+8=$ ☐

3 ☐

5 $4+8=$ ☐

2 ☐

6 $8+9=$ ☐

7 ☐

7 $6+7=$ ☐

3 ☐

8 $5+6=$ ☐

1 ☐

🐻 빈 곳에 알맞은 수를 써넣으세요.

1-1

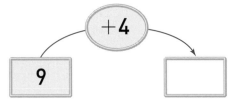

1-2

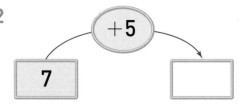

1-3

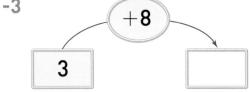

1-4

🐻 보기 와 같이 계산해 보세요.

보기

$$6+5=11$$
$$\overset{\wedge}{\underset{4\quad 1}{}}$$

2-1 8+6

2-2 5+9

2-3 4+7

2-4 9+3

2-5 7+8

생활 속 계산

바둑돌은 모두 몇 개인지 구하세요.

3-1

$5+8=$ ☐ (개)

3-2

$7+6=$ ☐ (개)

3-3

$9+$ ☐ $=$ ☐ (개)

3-4

$3+$ ☐ $=$ ☐ (개)

문장 읽고 계산식 세우기

4-1 팥빵이 6개, 크림빵이 5개 있습니다. 빵은 모두 몇 개?

식 $6+5=$ ☐ (개)

4-2 소나무가 4그루, 참나무가 9그루 있습니다. 나무는 모두 몇 그루?

식 $4+9=$ ☐ (그루)

4-3 책을 어제는 5쪽, 오늘은 어제보다 7쪽 더 많이 읽었습니다. 오늘 읽은 책은 몇 쪽?

식 $5+$ ☐ $=$ ☐ (쪽)

4-4 물을 어제는 8잔, 오늘은 어제보다 4잔 더 많이 마셨습니다. 오늘 마신 물은 몇 잔?

식 $8+$ ☐ $=$ ☐ (잔)

3일 여러 가지 방법으로 덧셈하기

뭐야? 12명?!

그새 또 1명이 사라진 거야?

1조도 6명, 2조도 6명으로 인원을 보기 좋게 맞췄어요.
6+6=12

좋냐?!

너는 저번에 도망쳤던 전사 아니니?

검치호를 마주쳤다가 겨우 도망쳤어요.

저 다시 받아주실 거죠?

좋다. 2조로 합류하라. 우리는 이제 13명이 되었다.
6+7=13

앗, 여기 전사가 또 쓰러져 있어요.

2조로 합류시켜라. 이제 14명이 되었군.
6+8=14

검치호가 가까워지고 있는 건가……

여기 또 전사 1명이 쓰러져 있어요.

또 2조로 합류시키면 15명이 되겠어요.
6+9=15

검치호한테 이렇게 많이 당하다니! 너무 무서운데…….

똑똑한 하루 계산법

• 같은 수에 1씩 커지는 수를 더하기

㉠ 6에 1씩 커지는 수를 더하기

$$6+6=12$$
$$6+7=13$$
$$6+8=14$$
$$6+9=15$$

1씩 커집니다.

• 1씩 작아지는 수에 같은 수를 더하기

㉠ 1씩 작아지는 수에 9를 더하기

$$7+9=16$$
$$6+9=15$$
$$5+9=14$$
$$4+9=13$$

1씩 작아집니다.

똑똑한 계산 연습

 □ 안에 알맞은 수를 써넣으세요.

①
5+6=☐
5+7=☐
5+8=☐
5+9=☐

②
6+9=☐
5+9=☐
4+9=☐
3+9=☐

③
6+6=☐
7+6=☐
8+6=☐
9+6=☐

④
4+9=☐
5+8=☐
6+7=☐
7+6=☐

⑤
7+9=☐
7+8=☐
7+7=☐
7+6=☐

⑥
7+5=☐
6+6=☐
5+7=☐
4+8=☐

덧셈식의 계산 결과의 크기 비교하기

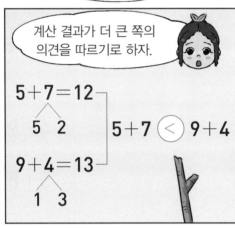

똑똑한 하루 계산법

• 덧셈식의 계산 결과의 크기 비교하기

예 5+7과 9+4의 크기 비교하기

$$5+7=12 \text{ 또는 } 5+7=12,$$

$$2 \quad 3 \qquad\qquad 5 \quad 2$$

$$9+4=13 \text{ 또는 } 9+4=13$$

$$1 \quad 3 \qquad\qquad 3 \quad 6$$

⇨ 5+7 < 9+4

두 수의 덧셈을 할 때에는 두 수 중 작은 수를 가르기 하여 계산하면 편리해요.

○✕ 퀴즈

계산 결과를 비교한 것이 옳으면 ○에, 틀리면 ✕에 ○표 하세요.

6+8 < 3+9

❶ ○   ✕

7+7 > 8+5

❷ ○   ✕

똑똑한 계산 연습

□ 안에 알맞은 수를 써넣고, ○ 안에 >, =, <를 알맞게 써넣으세요.

① $4+9=$ ☐

$7+5=$ ☐

⇨ $4+9$ ◯ $7+5$

② $8+6=$ ☐

$2+9=$ ☐

⇨ $8+6$ ◯ $2+9$

③ $6+7=$ ☐

$8+4=$ ☐

⇨ $6+7$ ◯ $8+4$

④ $3+8=$ ☐

$9+5=$ ☐

⇨ $3+8$ ◯ $9+5$

⑤ $8+8=$ ☐

$7+9=$ ☐

⇨ $8+8$ ◯ $7+9$

⑥ $6+9=$ ☐

$8+5=$ ☐

⇨ $6+9$ ◯ $8+5$

⑦ $5+9=$ ☐

$7+8=$ ☐

⇨ $5+9$ ◯ $7+8$

⑧ $6+8=$ ☐

$9+9=$ ☐

⇨ $6+8$ ◯ $9+9$

4주
3일

기초 집중 연습

🐻 빈칸에 알맞은 수를 써넣으세요.

1-1

6+5	6+6	6+7
11	12	
7+5	7+6	7+7
12	13	14
8+5	8+6	8+7
13	14	

1-2

7+7	7+8	7+9
14	15	16
8+7	8+8	8+9
15	16	17
9+7	9+8	9+9
	17	

🐻 계산 결과를 비교하여 ○ 안에 >, =, <를 알맞게 써넣으세요.

2-1 5+8 ○ 9+6

2-2 7+7 ○ 6+8

2-3 4+9 ○ 6+6

2-4 5+6 ○ 3+9

2-5 7+6 ○ 4+8

2-6 8+8 ○ 9+5

⏰ 제한 시간 9분

생활 속 계산

🐻 두 어린이가 수 카드를 각각 2장씩 뽑은 것입니다. 뽑은 수 카드에 쓰여 있는 두 수의 합이 더 큰 사람에 ○표 하세요.

3-1

| 6 | 9 | | 7 | 5 |

□   □

3-2

| 8 | 3 | | 6 | 6 |

□   □

3-3

| 7 | 7 | | 5 | 6 |

□   □

3-4

| 9 | 4 | | 7 | 8 |

□   □

4주
3일

문장 읽고 계산식 세우기

4-1 과녁 맞히기 놀이에서 수지는 9점과 7점, 민호는 6점과 8점을 얻었을 때 점수가 더 높은 사람은 누구?

식 수지: **9+7**=□ (점)

민호: **6+8**=□ (점)

답 _____

4-2 고리 던지기 놀이에서 지혜는 8점과 4점, 경주는 7점과 6점을 얻었을 때 점수가 더 높은 사람은 누구?

식 지혜: **8+4**=□ (점)

경주: **7+6**=□ (점)

답 _____

뺄셈하기 ①

검치호다!

크르릉!

흐엉~. 검치호가 왜 여기 있지?

불로 쫓으면서 나가자.

앗, 저 사이에 마지막 부품이 있어요!

검치호가 몇 마리 남았지?

처음 12마리 중 5마리를 쫓아냈어요.

12−5에서 5를 2와 3으로 가르기 하고, 12에서 2를 빼면 10이 되고……

$12-5=10-3=7$

남은 10에서 3을 빼면 7이 되겠네.

마지막 부품이 눈 앞에 있는데……

하필 검치호 7마리가 앞에 있다니!

똑똑한 하루 계산법

• 빼지는 수를 가르기 하여 뺄셈하기

㉠ 12−5의 계산

⇩

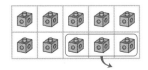
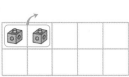

$12-5=7$

12−5에서 5를 2와 3으로 가르기 하여 12에서 2를 빼고 남은 10에서 3을 빼면 7이 돼요.

○✗ 퀴즈

계산이 바르면 ○에, 틀리면 ✗에 ○표 하세요.

$15-9=6$

❶ ○ ✗

$11-8=17$

❷ ○ ✗

똑똑한 계산 연습

⏰ 제한 시간 3분

🐻 빼지는 수를 가르기 하여 뺄셈을 해 보세요.

①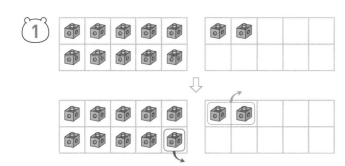

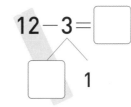

$12-3=\boxed{}$

$\boxed{}$　1

모형 12개에서 먼저 2개를 뺀 다음 다시 1개를 더 뺐어요.

②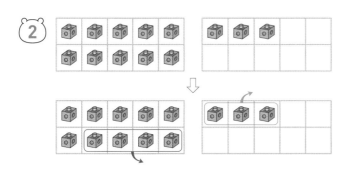

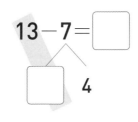

$13-7=\boxed{}$

$\boxed{}$　4

4주
4일

③ 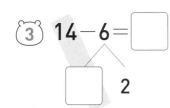 $14-6=\boxed{}$

$\boxed{}$　2

④ $11-4=\boxed{}$

$\boxed{}$　3

⑤ $15-8=\boxed{}$

$\boxed{}$　3

⑥ $13-5=\boxed{}$

$\boxed{}$　2

⑦ $12-6=\boxed{}$

$\boxed{}$　4

⑧ 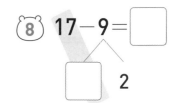 $17-9=\boxed{}$

$\boxed{}$　2

4일 뺄셈하기 ②

창 17개 중 8개를 썼으니까······.

$17-8=10-8+7=9$

17−8에서 17을 10과 7로 가르기 하고 10에서 8을 빼면 2가 남아요. 남은 2와 7을 더하면 9가 돼요.

똑똑한 하루 계산법

• 빼어지는 수를 가르기 하여 뺄셈하기

예 17−8의 계산

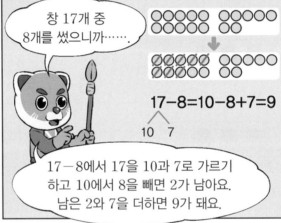

$17-8=9$

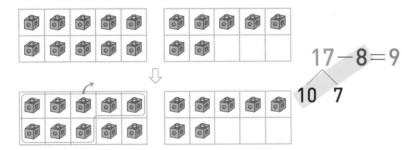

17−8에서 17을 10과 7로 가르기 하여 10에서 8을 빼고 남은 2와 7을 더하면 9가 돼요.

○✕ 퀴즈

계산이 바르면 ○에, 틀리면 ✕에 ○표 하세요.

$12-9=6$

❶ ○ ✕

$15-8=7$

❷ ○ ✕

정답 ❶ ✕에 ○표 ❷ ○에 ○표

똑똑한 계산 연습

⏰ 제한 시간 3분

🐻 빼어지는 수를 가르기 하여 뺄셈을 해 보세요.

①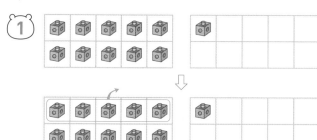

$$11-5=\boxed{}$$

10 ⟍ $\boxed{}$

모형 10개에서 먼저 5개를 뺀 다음 남은 1개를 더했어요.

②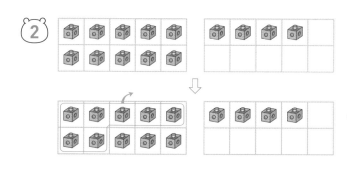

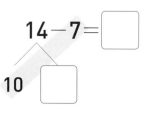

$$14-7=\boxed{}$$

10 ⟍ $\boxed{}$

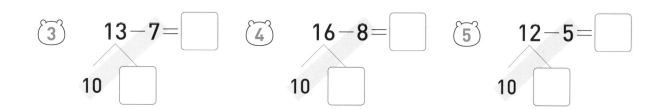

③ $13-7=\boxed{}$ 10 ⟍ $\boxed{}$

④ $16-8=\boxed{}$ 10 ⟍ $\boxed{}$

⑤ $12-5=\boxed{}$ 10 ⟍ $\boxed{}$

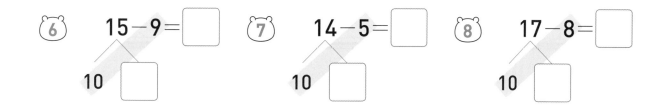

⑥ $15-9=\boxed{}$ 10 ⟍ $\boxed{}$

⑦ $14-5=\boxed{}$ 10 ⟍ $\boxed{}$

⑧ $17-8=\boxed{}$ 10 ⟍ $\boxed{}$

4주 4일

기초 집중 연습

🐻 빈 곳에 알맞은 수를 써넣으세요.

1-1

| 11 | −2 | |

1-2

| 15 | −7 | |

1-3

| 14 | −8 | |

1-4

| 12 | −5 | |

🐻 보기 와 같이 계산해 보세요.

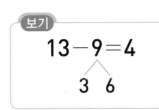

보기

$$13-9=4$$
$$3 \quad 6$$

2-1 11 − 5

2-2 14 − 9

2-3 16 − 7

2-4 12 − 4

2-5 13 − 6

생활 속 계산

🐻 구슬 13개를 양손에 나누어 쥔 다음 한 손을 펼쳤습니다. 펼치지 않은 손에 쥔 구슬은 몇 개인지 구하세요.

3-1
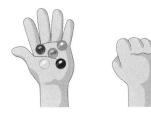
13 - 5 = ☐ (개)

3-2
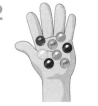
13 - 8 = ☐ (개)

3-3
13 - ☐ = ☐ (개)

3-4
13 - ☐ = ☐ (개)

4주 4일

문장 읽고 계산식 세우기

4-1 딸기 12개 중 3개를 먹었습니다. 남은 딸기는 몇 개?

식   12 - 3 = ☐ (개)

4-2 땅콩 16개 중 9개를 먹었습니다. 남은 땅콩은 몇 개?

식   16 - 9 = ☐ (개)

4-3 줄넘기를 어제는 17번, 오늘은 어제보다 8번 적게 했습니다. 오늘 한 줄넘기는 몇 번?

식   17 - ☐ = ☐ (번)

4-4 손 씻기를 어제는 11번, 오늘은 어제보다 3번 적게 했습니다. 오늘 한 손 씻기는 몇 번?

식   11 - ☐ = ☐ (번)

여러 가지 방법으로 뺄셈하기

똑똑한 하루 계산법

• 같은 수에서 1씩 커지는 수를 빼기

예 12에서 1씩 커지는 수를 빼기

$$12-6=6$$
$$12-7=5$$
$$12-8=4$$
$$12-9=3$$

1씩 커집니다. 1씩 작아집니다.

• 1씩 커지는 수에서 같은 수를 빼기

예 1씩 커지는 수에서 8을 빼기

$$12-8=4$$
$$13-8=5$$
$$14-8=6$$
$$15-8=7$$

1씩 커집니다.

□ 안에 알맞은 수를 써넣으세요.

①
$11-2=\boxed{}$

$11-3=\boxed{}$

$11-4=\boxed{}$

$11-5=\boxed{}$

②
$17-9=\boxed{}$

$16-8=\boxed{}$

$15-7=\boxed{}$

$14-6=\boxed{}$

③
$13-8=\boxed{}$

$13-7=\boxed{}$

$13-6=\boxed{}$

$13-5=\boxed{}$

④
$15-6=\boxed{}$

$16-7=\boxed{}$

$17-8=\boxed{}$

$18-9=\boxed{}$

⑤
$14-9=\boxed{}$

$15-9=\boxed{}$

$16-9=\boxed{}$

$17-9=\boxed{}$

⑥
$14-5=\boxed{}$

$13-6=\boxed{}$

$12-7=\boxed{}$

$11-8=\boxed{}$

4주
5일

그 후 엄청 먼 미래

인류의 역사적인 외계문명 탐험이 시작됩니다!

오래 전 바위 그림의 수수께끼가 밝혀질까요?

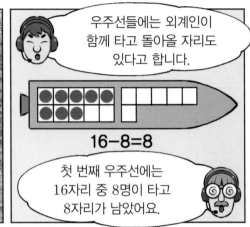

우주선들에는 외계인이 함께 타고 돌아올 자리도 있다고 합니다.

16-8=8

첫 번째 우주선에는 16자리 중 8명이 타고 8자리가 남았어요.

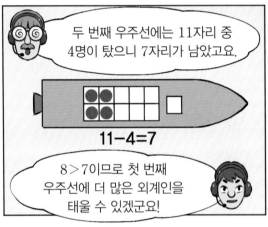

두 번째 우주선에는 11자리 중 4명이 탔으니 7자리가 남았고요.

11-4=7

8>7이므로 첫 번째 우주선에 더 많은 외계인을 태울 수 있겠군요!

오래 전 바위 그림의 수수께끼가 밝혀질까요?

외계인과 만날 수 있기를 기대합니다~.

똑똑한 하루 계산법

• 빼셈식의 계산 결과의 크기 비교하기

예) 16-8과 11-4의 크기 비교하기

$$16-8=8 \text{ 또는 } 16-8=8,$$
$$10 \quad 6 \qquad\qquad 6 \quad 2$$

$$11-4=7 \text{ 또는 } 11-4=7$$
$$10 \quad 1 \qquad\qquad 1 \quad 3$$

$$\Rightarrow 16-8 \; \boxed{>} \; 11-4$$

여러 가지 방법으로 두 수의 뺄셈을 한 다음 크기를 비교해요.

○✕ 퀴즈

계산 결과를 비교한 것이 바르면 ○에, 틀리면 ✕에 ○표 하세요.

$$12-5 \; \boxed{>} \; 15-9$$

❶ ○ ✕

$$13-8 \; \boxed{>} \; 17-9$$

❷ ○ ✕

정답 ❶○에 ○표 ❷✕에 ○표

똑똑한 계산 연습

□ 안에 알맞은 수를 써넣고, ○ 안에 >, =, <를 알맞게 써넣으세요.

1
$13-7=$ □
$17-9=$ □
⇨ $13-7$ ○ $17-9$

2
$15-6=$ □
$11-7=$ □
⇨ $15-6$ ○ $11-7$

3
$16-9=$ □
$12-5=$ □
⇨ $16-9$ ○ $12-5$

4
$14-8=$ □
$16-7=$ □
⇨ $14-8$ ○ $16-7$

5
$12-6=$ □
$15-8=$ □
⇨ $12-6$ ○ $15-8$

6
$13-5=$ □
$11-6=$ □
⇨ $13-5$ ○ $11-6$

7
$14-7=$ □
$16-8=$ □
⇨ $14-7$ ○ $16-8$

8
$17-8=$ □
$12-9=$ □
⇨ $17-8$ ○ $12-9$

4주
5일

기초 집중 연습

🐻 빈칸에 알맞은 수를 써넣으세요.

1-1

11-4	11-5	11-6
7	6	5
12-4	12-5	12-6
	7	6
13-4	13-5	13-6
9	8	

1-2

14-7	14-8	14-9
7	6	
15-7	15-8	15-9
8		6
16-7	16-8	16-9
9	8	7

🐻 계산 결과를 비교하여 ○ 안에 >, =, <를 알맞게 써넣으세요.

2-1 $13-9 \bigcirc 11-5$

2-2 $18-9 \bigcirc 16-7$

2-3 $14-8 \bigcirc 12-7$

2-4 $15-9 \bigcirc 13-8$

2-5 $17-8 \bigcirc 16-9$

2-6 $11-4 \bigcirc 14-6$

생활 속 계산

두 어린이가 수 카드를 각각 2장씩 뽑은 것입니다. 뽑은 수 카드에 쓰여 있는 두 수의 차가 더 큰 사람에 ○표 하세요.

3-1

| 13 | 6 |

| 3 | 11 |

3-2

| 15 | 8 |

| 4 | 12 |

3-3

| 9 | 16 |

| 14 | 8 |

3-4

| 13 | 5 |

| 8 | 17 |

문장 읽고 계산식 세우기

4-1

젤리를 준희는 12개 중 5개를 먹었고, 성우는 15개 중 7개를 먹었을 때 남은 젤리가 더 많은 사람은 누구?

식 준희: $12 - 5 = \boxed{}$(개)

성우: $15 - 7 = \boxed{}$(개)

답 _____

4-2

쿠키를 규태는 16개 중 8개를 먹었고, 정아는 11개 중 5개를 먹었을 때 남은 쿠키가 더 많은 사람은 누구?

식 규태: $16 - 8 = \boxed{}$(개)

정아: $11 - 5 = \boxed{}$(개)

답 _____

🐻 계산해 보세요.

1 5+7

2 15−9

3 8+6

4 16−7

5 7+8

6 12−5

7 3+9

8 18−9

9 6+5

10 11−2

 계산 결과를 비교하여 ◯ 안에 >, =, <를 알맞게 써넣으세요.

⑪ 9+2 ◯ 5+7

⑫ 17-8 ◯ 11-3

⑬ 7+9 ◯ 8+6

⑭ 11-4 ◯ 16-9

⑮ 5+6 ◯ 9+3

⑯ 14-9 ◯ 12-3

4주

평가

⑰ 7+6 ◯ 4+9

⑱ 13-7 ◯ 15-8

⑲ 5+8 ◯ 7+4

⑳ 12-4 ◯ 13-6

 제한 시간 안에 정확하게
모두 풀었다면 여러분은 진정한 계산왕!

창의·융합·코딩

우리 반 학생 수를 맞혀봐!

 주희네 반 전체 학생 수는 모두 몇 명인지 구하세요.

 전체 학생 수는 안경을 쓴 학생 수와 안경을 쓰지 않은 학생 수의 합과 같습니다.

식 9 + ☐ = ☐

답 _____ 명

버스에 남은 사람은 몇 명일까?

 창의 2 버스에서 내리고 남은 사람은 몇 명인지 구하세요.

 버스에 남은 사람 수는 처음에 버스에 타고 있던 사람 수에서 정류장에 내린 사람 수를 뺀 것과 같습니다.

식   16 − ☐ = ☐

답 _____ 명

융합 3 구멍이 단소는 5개, 리코더는 8개입니다. 두 악기의 구멍 수의 합은 모두 몇 개인지 구하세요.

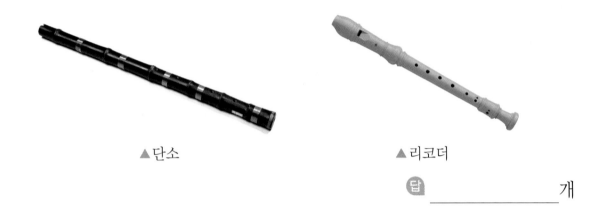

▲단소

▲리코더

답 _____ 개

융합 4 중국 국기와 우즈베키스탄 국기입니다. 우즈베키스탄 국기에는 중국 국기보다 별이 몇 개 더 많은지 구하세요.

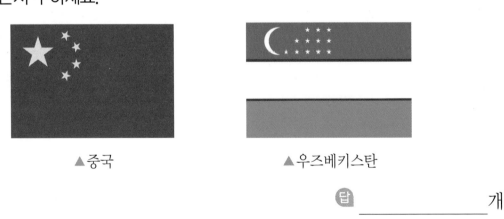

▲중국

▲우즈베키스탄

답 _____ 개

창의 **5** 모양이 같은 곳에 쓰인 수의 합을 각각 구하세요.

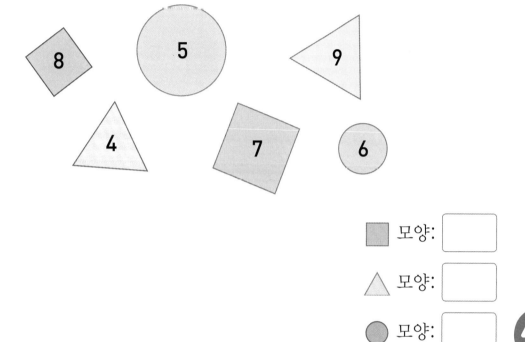

■ 모양: ☐

▲ 모양: ☐

● 모양: ☐

4주
특강

창의 **6** 두 수의 차가 작은 것부터 순서대로 점을 선으로 이어 보세요.

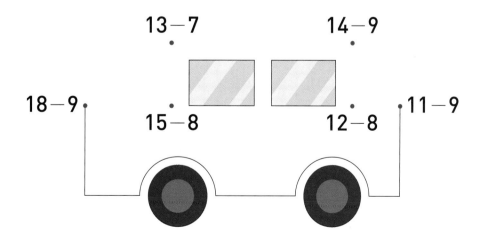

 계산 결과에 해당하는 문을 지나 윤수가 아라를 찾아가는 길을 선으로 그어 보세요.

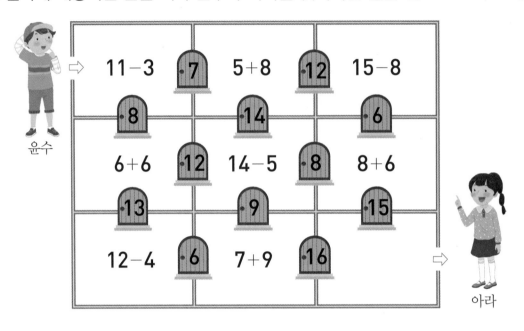

 보기 와 같이 시계에서 두 수의 합이 주어진 수가 되도록 모두 선으로 연결해 보세요.

▶정답 및 풀이 24쪽

🐻 보기 와 같이 4장의 수 카드를 입력하면 한 번씩만 사용하여 덧셈식 또는 뺄셈식을 만들어 주는 로봇이 있습니다. 로봇이 출력한 값을 구하세요.

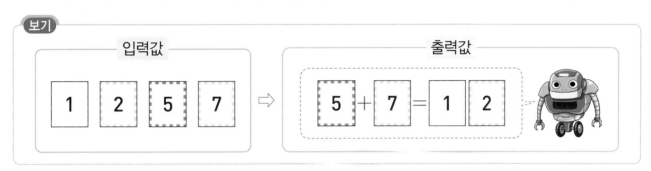

코딩 9

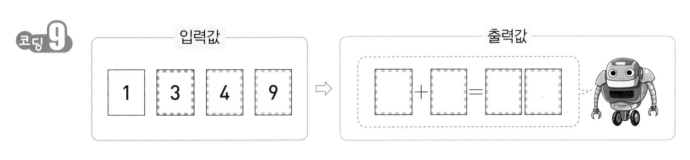

4주

특강

코딩 10

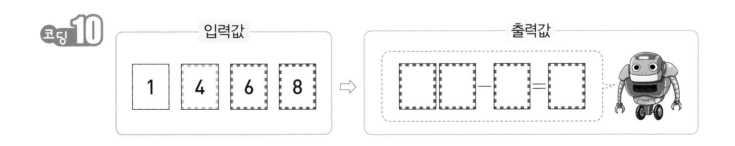

MEMO

하루하루 쌓이는 수학 자신감!

똑똑한 하루

수학 시리즈

초등 수학 첫 걸음

수학 공부, 절대 지루하면 안 되니까~
하루 10분 학습 커리큘럼으로
쉽고 재미있게 수학과 친해지기!

학습 영양 밸런스

〈수학〉은 물론 〈계산〉, 〈도형〉, 〈사고력〉편까지
초등 수학 전 영역을 커버하는 맞춤형 교재로
편식은 NO! 완벽한 수학 영양 밸런스!

창의·사고력 확장

초등학생에게 꼭 필요한 수학 지식과
창의·융합·사고력 확장을 위한
재미있는 문제 구성으로 힘찬 워밍업!

우리 아이 공부 습관 프로젝트!

하루 계산 (총 6단계, 12권)

하루 도형 (총 6단계, 6권)

하루 수학 (총 6단계, 12권)

하루 사고력 (총 6단계, 12권)

✂ 쉽다!

10분이면 하루치 공부를 마칠 수 있는 커리큘럼으로,
아이들이 초등 학습에 쉽고 재미있게 접근할 수 있도록 구성하였습니다.

🧩 재미있다!

교과서는 물론 생활 속에서 쉽게 접할 수 있는 다양한 소재와
재미있는 게임 형식의 문제로 흥미로운 학습이 가능합니다.

📖 똑똑하다!

초등학생에게 꼭 필요한 학습 지식 습득은 물론
창의력 확장까지 가능한 교재로 올바른 공부습관을 가지는 데 도움을 줍니다.

정답 및 풀이 ✦ ✦

똑똑한

하루
계산

초등
수학 **1B**
1학년 수준

천재교육

정답 및 풀이
포인트 3가지

▶ 혼자서도 이해할 수 있는 문제 풀이

▶ 자세한 풀이 제시

▶ 참고·주의 등 풍부한 보충 설명

정답 및 풀이

1주 · 100까지의 수

6~7쪽	1주에 배울 내용을 알아볼까요? ②

1-1 19   **1**-2 34
1-3 4, 7   **1**-4 2, 5
2-1 23에 ○표   **2**-2 44에 ○표
2-3 50에 ○표   **2**-4 18에 ○표
2-5 36에 ○표   **2**-6 49에 ○표

2-1 10개씩 묶음의 수를 비교하면 23이 더 큽니다.

2-2 10개씩 묶음의 수를 비교하면 44가 더 큽니다.

2-3 10개씩 묶음의 수를 비교하면 50이 더 큽니다.

2-4 10개씩 묶음의 수가 같으므로 낱개의 수를 비교하면 18이 더 큽니다.

2-5 10개씩 묶음의 수가 같으므로 낱개의 수를 비교하면 36이 더 큽니다.

9쪽	똑똑한 계산 연습

① 60   ② 9, 90
③ 7, 70   ④ 8, 80
⑤ 70   ⑥ 60
⑦ 90   ⑧ 80

① 10개씩 묶음이 6개이므로 60입니다.

② 10개씩 묶음이 9개이므로 90입니다.

③ 10개씩 묶음이 7개이므로 70입니다.

④ 10개씩 묶음이 8개이므로 80입니다.

⑤ 10개씩 묶음이 7개이므로 70입니다.

⑥ 10개씩 묶음이 6개이므로 60입니다.

⑦ 10개씩 묶음이 9개이므로 90입니다.

⑧ 10개씩 묶음이 8개이므로 80입니다.

11쪽	똑똑한 계산 연습

① 육십에 ○표   ② 구십에 ○표
③ 여든에 ○표   ④ 일흔에 ○표
⑤ 80에 ○표   ⑥ 70에 ○표
⑦ 60에 ○표   ⑧ 90에 ○표
⑨ 팔십, 여든   ⑩ 칠십, 일흔
⑪ 구십, 아흔   ⑫ 육십, 예순

12~13쪽	기초 집중 연습

1-1 60 ; 육십, 예순   **1**-2 80 ; 팔십, 여든
1-3 90 ; 구십, 아흔   **1**-4 70 ; 칠십, 일흔
2-1   **2**-2
2-3   **2**-4
3-1 80   **3**-2 90
3-3 70   **3**-4 60
4-1 70   **4**-2 80
4-3 60   **4**-4 90

2-1 60 ⇨ (육십, 예순)
     90 ⇨ (구십, 아흔)

2-2 70 ⇨ (칠십, 일흔)
     80 ⇨ (팔십, 여든)

3-1 10원짜리 동전 8개이면 80원입니다.

3-2 10원짜리 동전 9개이면 90원입니다.

3-3 10원짜리 동전 7개이면 70원입니다.

4-1 10개씩 묶음이 7개이면 70입니다.

4-3 10개씩 묶음이 6개이면 60입니다.

4-4 10개씩 묶음이 9개이면 90입니다.

정답 및 풀이

15쪽	똑똑한 계산 연습
① 4, 54	② 7, 3, 73
③ 8, 7, 87	④ 9, 2, 92
⑤ 67	⑥ 83
⑦ 96	⑧ 71

③ 10개씩 묶음 8개와 낱개 7개는 87입니다.

④ 10개씩 묶음 9개와 낱개 2개는 92입니다.

⑦ 10개씩 묶음 9개와 낱개 6개는 96입니다.

⑧ 10개씩 묶음 7개와 낱개 1개는 71입니다.

17쪽	똑똑한 계산 연습
① 64	② 91
③ 78	④ 54
⑤ 85	⑥ 59
⑦ 71	⑧ 96
⑨ 팔십사, 여든넷	⑩ 칠십구, 일흔아홉
⑪ 구십팔, 아흔여덟	⑫ 오십오, 쉰다섯

① 육십사 ⇨ 64
    6 4

② 구십일 ⇨ 91
    9 1

⑦ 일흔하나 ⇨ 71
    7 1

⑧ 아흔여섯 ⇨ 96
    9 6

18~19쪽	기초 집중 연습

1-1 57 ; 오십칠, 쉰일곱

1-2 76 ; 칠십육, 일흔여섯

1-3 95 ; 구십오, 아흔다섯

1-4 68 ; 육십팔, 예순여덟

2-1 74 ; 7, 4	2-2 97 ; 9, 7
2-3 81 ; 8, 1	2-4 69 ; 6, 9
3-1 59	3-2 64
3-3 83	3-4 75
4-1 72	4-2 58
4-3 91	4-4 65

1-1 10개씩 묶음 5개와 낱개 7개는 57입니다.

1-3 10개씩 묶음 9개와 낱개 5개는 95입니다.

3-3 10원짜리 동전 8개와 1원짜리 동전 3개이면 83원입니다.

3-4 10원짜리 동전 7개와 1원짜리 동전 5개이면 75원입니다.

4-1 10개씩 묶음 7개와 낱개 2개는 72입니다.

4-2 10개씩 묶음 5개와 낱개 8개는 58입니다.

4-3 10개씩 묶음 9개와 낱개 1개는 91입니다.

4-4 10개씩 묶음 6개와 낱개 5개는 65입니다.

21쪽	똑똑한 계산 연습
① 72, 71	② 58, 57
③ 84, 83	④ 66, 65
⑤ 55, 56	⑥ 76, 77
⑦ 92, 93	⑧ 69, 70

① 72보다 1만큼 더 작은 수는 72 앞의 수인 71입니다.

② 58보다 1만큼 더 작은 수는 58 앞의 수인 57입니다.

③ 84보다 1만큼 더 작은 수는 84 앞의 수인 83입니다.

⑤ 55보다 1만큼 더 큰 수는 55 다음의 수인 56입니다.

⑥ 76보다 1만큼 더 큰 수는 76 다음의 수인 77입니다.

⑦ 92보다 1만큼 더 큰 수는 92 다음의 수인 93입니다.

⑧ 69보다 1만큼 더 큰 수는 69 다음의 수인 70입니다.

23쪽	똑똑한 계산 연습

① 53, 56, 57, 59
② 66, 68, 70, 72
③ 92, 95, 96, 99, 100
④ 77, 79   ⑤ 53, 55
⑥ 89, 90   ⑦ 99, 100
⑧ 59, 61   ⑨ 69, 70

③ 93보다 1만큼 더 작은 수는 92이므로 92부터 수를 순서대로 씁니다.

④ 76보다 1만큼 더 큰 수는 77, 78보다 1만큼 더 큰 수는 79입니다.

⑥ 88보다 1만큼 더 큰 수는 89, 91보다 1만큼 더 작은 수는 90입니다.

⑦ 98보다 1만큼 더 큰 수는 99, 99보다 1만큼 더 큰 수는 100입니다.

⑨ 71보다 1만큼 더 작은 수는 70, 70보다 1만큼 더 작은 수는 69입니다.

24~25쪽	기초 집중 연습

1-1 62, 64   1-2 55, 57
1-3 69, 71   1-4 88, 90
2-1 76, 77   2-2 89, 90
2-3 58, 60, 61   2-4 96, 98, 100
3-1

69
68   70
67   71
76   72
75   74   73

3-2

53 64
55 54 63 62
57 56 ⊞ 61
58   59
60

3-3

98 99
95   100
94 97
93   96
92 91

3-4

81   78
84   85
87   82
80   79
83 86

4-1 54   4-2 79
4-3 85   4-4 100

1-3 70보다 1만큼 더 작은 수는 69, 1만큼 더 큰 수는 71입니다.

1-4 89보다 1만큼 더 작은 수는 88, 1만큼 더 큰 수는 90입니다.

2-1 75보다 1만큼 더 큰 수는 76, 76보다 1만큼 더 큰 수는 77입니다.

2-3 57보다 1만큼 더 큰 수는 58, 59보다 1만큼 더 큰 수는 60, 60보다 1만큼 더 큰 수는 61입니다.

2-4 97보다 1만큼 더 작은 수는 96, 97보다 1만큼 더 큰 수는 98, 99보다 1만큼 더 큰 수는 100입니다.

3-3 91−92−93−94−95−96−97−98−99−100의 순서대로 이어 봅니다.

3-4 78−79−80−81−82−83−84−85−86−87의 순서대로 이어 봅니다.

4-1 수를 순서대로 쓰면 54−55−56이므로 55보다 1만큼 더 작은 수는 54입니다.

4-2 수를 순서대로 쓰면 79−80−81이므로 80보다 1만큼 더 작은 수는 79입니다.

4-3 수를 순서대로 쓰면 83−84−85이므로 84보다 1만큼 더 큰 수는 85입니다.

4-4 수를 순서대로 쓰면 98−99−100이므로 99보다 1만큼 더 큰 수는 100입니다.

27쪽	똑똑한 계산 연습

① 작습니다에 ○표   ② 큽니다에 ○표
③ 큽니다에 ○표   ④ 작습니다에 ○표
⑤ 62에 ○표   ⑥ 91에 ○표
⑦ 56에 ○표   ⑧ 78에 ○표

① 10개씩 묶음의 수를 비교하면 56은 62보다 작습니다.

② 10개씩 묶음의 수를 비교하면 80은 68보다 큽니다.

③ 10개씩 묶음의 수가 같으므로 낱개의 수를 비교하면 69는 67보다 큽니다.

⑤ 10개씩 묶음의 수를 비교하면 62가 58보다 큽니다.

⑥ 10개씩 묶음의 수를 비교하면 91이 84보다 큽니다.

⑦ 10개씩 묶음의 수가 같으므로 낱개의 수를 비교하면 56이 52보다 큽니다.

⑧ 10개씩 묶음의 수가 같으므로 낱개의 수를 비교하면 78이 75보다 큽니다.

2-4 10개씩 묶음의 수가 같으므로 낱개의 수를 비교합니다. ⇨ 3>0이므로 53>50입니다.

4-1 10개씩 묶음의 수를 비교합니다. ⇨ 7<8이므로 72<81입니다.

4-2 10개씩 묶음의 수가 같으므로 낱개의 수를 비교합니다. ⇨ 7<9이므로 67<69입니다.

4-3 10개씩 묶음의 수가 같으므로 낱개의 수를 비교합니다. ⇨ 2<5이므로 82<85입니다.

4-4 10개씩 묶음의 수를 비교합니다. ⇨ 9>7이므로 91>74입니다.

29쪽 · 똑똑한 계산 연습

① > ② < ③ <
④ < ⑤ < ⑥ >
⑦ > ⑧ < ⑨ >
⑩ > ⑪ > ⑫ <

① 90 > 80 (9>8)
② 83 < 90 (8<9)
③ 52 < 61 (5<6)
④ 74 < 84 (7<8)
⑦ 72 > 70 (2>0)
⑧ 63 < 65 (3<5)
⑨ 87 > 85 (7>5)
⑩ 59 > 54 (9>4)

30~31쪽 · 기초 집중 연습

1-1 65, 73   **1-2** 87, 90
1-3 57, 53   **1-4** 79, 77
2-1 > ; 큽니다, 작습니다에 ○표
2-2 < ; 작습니다, 큽니다에 ○표
2-3 < ; 작습니다, 큽니다에 ○표
2-4 > ; 큽니다, 작습니다에 ○표
3-1 > ; 76, 69   **3-2** > ; 51, 58
3-3 > ; 58, 76   **3-4** < ; 69, 51
4-1 81   **4-2** 69
4-3 82   **4-4** 74

2-1 10개씩 묶음의 수를 비교합니다.
⇨ 8>5이므로 84>57입니다.

33쪽 · 똑똑한 계산 연습

① 71에 ○표   ② 94에 ○표
③ 61에 ○표   ④ 95에 ○표
⑤ 85에 ○표   ⑥ 69에 ○표
⑦ 63에 △표   ⑧ 58에 △표
⑨ 52에 △표   ⑩ 69에 △표
⑪ 65에 △표   ⑫ 52에 △표

① 10개씩 묶음의 수를 비교하면 7>6>5이므로 가장 큰 수는 71입니다.

⑤ 10개씩 묶음의 수를 비교하면 79가 가장 작습니다. 85와 81의 낱개의 수를 비교하면 5>1이므로 가장 큰 수는 85입니다.

⑥ 10개씩 묶음의 수가 같으므로 낱개의 수를 비교합니다. 9>7>5이므로 가장 큰 수는 69입니다.

⑦ 10개씩 묶음의 수를 비교하면 6<7<8이므로 가장 작은 수는 63입니다.

⑪ 10개씩 묶음의 수를 비교하면 92가 가장 큽니다. 68과 65의 낱개의 수를 비교하면 8>5이므로 가장 작은 수는 65입니다.

⑫ 10개씩 묶음의 수가 같으므로 낱개의 수를 비교합니다. 2<5<6이므로 가장 작은 수는 52입니다.

35쪽	똑똑한 계산 연습

① 짝 ② 홀 ③ 홀
④ 짝 ⑤ 짝 ⑥ 홀
⑦ 짝 ⑧ 홀 ⑨ 홀
⑩ 홀 ⑪ 짝 ⑫ 짝

① 낱개의 수가 0, 2, 4, 6, 8이면 짝수입니다.

② 낱개의 수가 1, 3, 5, 7, 9이면 홀수입니다.

36~37쪽	기초 집중 연습

1-1 63 ⑧⑦ △58   1-2 △60 ⑨⓪ 83

1-3 ⑥④ 59 △55   1-4 △73 ⑦⑦ 74

2-1 50, 56, 57   2-2 89, 95, 99

2-3 53, 73, 83   2-4 65, 68, 82

3-1 6, 짝수에 ○표   3-2 9, 홀수에 ○표

3-3 10, 짝수에 ○표   3-4 15, 홀수에 ○표

3-5 12, 짝수에 ○표   3-6 7, 홀수에 ○표

4-1 74   4-2 57

1-1 10개씩 묶음의 수를 비교하면 87이 가장 크고 58이 가장 작습니다.

1-3 10개씩 묶음의 수를 비교하면 64가 가장 큽니다. 59와 55의 낱개의 수를 비교하면 55가 가장 작습니다.

1-4 10개씩 묶음의 수가 같으므로 낱개의 수를 비교하면 77이 가장 크고 73이 가장 작습니다.

2-1 10개씩 묶음의 수가 같으므로 낱개의 수를 비교하면 50이 가장 작고 57이 가장 큽니다.

2-2 10개씩 묶음의 수를 비교하면 89가 가장 작습니다. 99와 95의 낱개의 수를 비교하면 99가 가장 큽니다.

2-3 10개씩 묶음의 수를 비교하면 53이 가장 작고 83이 가장 큽니다.

2-4 10개씩 묶음의 수를 비교하면 82가 가장 큽니다. 65와 68의 낱개의 수를 비교하면 65가 가장 작습니다.

4-1 10개씩 묶음의 수를 비교하면 74가 가장 큽니다.

4-2 10개씩 묶음의 수를 비교하면 64가 가장 큽니다. 57과 59의 낱개의 수를 비교하면 57이 가장 작습니다.

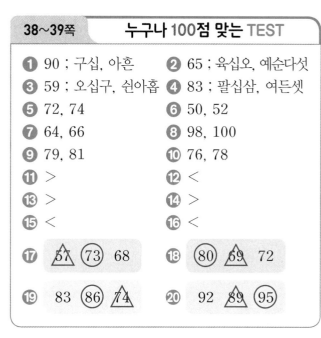

38~39쪽	누구나 100점 맞는 TEST

❶ 90 ; 구십, 아흔   ❷ 65 ; 육십오, 예순다섯
❸ 59 ; 오십구, 쉰아홉   ❹ 83 ; 팔십삼, 여든셋
❺ 72, 74   ❻ 50, 52
❼ 64, 66   ❽ 98, 100
❾ 79, 81   ❿ 76, 78
⓫ >   ⓬ <
⓭ >   ⓮ >
⓯ <   ⓰ <

⓱ △57 ⑦③ 68   ⓲ ⑧⓪ △69 72

⓳ 83 ⑧⑥ △74   ⓴ 92 △89 ⑨⑤

❺ 73보다 1만큼 더 작은 수는 72, 1만큼 더 큰 수는 74입니다.

❻ 51보다 1만큼 더 작은 수는 50, 1만큼 더 큰 수는 52입니다.

❼ 65보다 1만큼 더 작은 수는 64, 1만큼 더 큰 수는 66입니다.

❽ 99보다 1만큼 더 작은 수는 98, 1만큼 더 큰 수는 100입니다.

❾ 80보다 1만큼 더 작은 수는 79, 1만큼 더 큰 수는 81입니다.

❿ 77보다 1만큼 더 작은 수는 76, 1만큼 더 큰 수는 78입니다.

⓫ 86 > 68
 ⌐8>6⌐

⓬ 63 < 65
 ⌐3<5⌐

⓭ 93 > 78
 ⌐9>7⌐

⓮ 87 > 81
 ⌐7>1⌐

⓯ 75 < 76
 ⌐5<6⌐

⓰ 59 < 61
 ⌐5<6⌐

정답
풀이

⑰ 10개씩 묶음의 수를 비교하면 73이 가장 크고 57이 가장 작습니다.

⑱ 10개씩 묶음의 수를 비교하면 80이 가장 크고 69가 가장 작습니다.

⑲ 10개씩 묶음의 수를 비교하면 74가 가장 작습니다. 83과 86의 낱개의 수를 비교하면 86이 가장 큽니다.

⑳ 10개씩 묶음의 수를 비교하면 89가 가장 작습니다. 92와 95의 낱개의 수를 비교하면 95가 가장 큽니다.

40~45쪽 특강 창의·융합·코딩

창의**1** 5, 4, 54 ; 5, 9, 59 ; 민정
창의**2** (위에서부터) ㅁ, ㄱ, ㄹ, ㄷ
융합**3** (1) 65 (2) 73 (3) 99 (4) 67
융합**4** (1) 팔십삼 (2) 일흔여덟
코딩**5** (1) 82 (2) 97
창의**6**

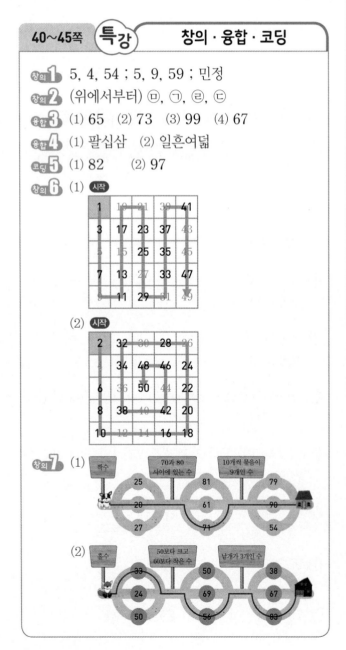

창의**1** 건우: 10개씩 5봉지와 낱개 4개이므로 54개입니다.
민정: 10개씩 5봉지와 낱개 9개이므로 59개입니다.
➡ 54<59이므로 고구마를 더 많이 캔 친구는 민정입니다.

창의**2** 수현: 10개씩 묶음 6개와 낱개 7개인 수는 67입니다. ➡ ㅁ
민호: 10개씩 묶음 8개와 낱개 4개인 수는 84입니다. ➡ ㄱ
준희: 10개씩 묶음 7개와 낱개 8개인 수는 78입니다. ➡ ㄹ
우석: 10개씩 묶음 5개와 낱개 1개인 수는 51입니다. ➡ ㄷ

융합**3** (1) 예순 다섯 ➡ 65   (2) 칠십 삼 ➡ 73
　　　　　 6　 5　　　　　　　　7　 3
　　(3) 아흔 아홉 ➡ 99   (4) 육십 칠 ➡ 67
　　　　　 9　 9　　　　　　　　6　 7

융합**4** (1) 8 3 ➡ 팔십삼   (2) 7 8 ➡ 일흔여덟
　　　　 팔십 삼　　　　　　　일흔 여덟

코딩**5** (1) 로봇이 참이라고 했으므로 수 카드에 적힌 수 중 10개씩 묶음이 8개인 수를 찾습니다.
58 ➡ 10개씩 묶음 5개와 낱개 8개
78 ➡ 10개씩 묶음 7개와 낱개 8개
82 ➡ 10개씩 묶음 8개와 낱개 2개
(2) 로봇이 거짓이라고 했으므로 수 카드에 적힌 수 중 10개씩 묶음이 7개가 아닌 수를 찾습니다.
75 ➡ 10개씩 묶음 7개와 낱개 5개
72 ➡ 10개씩 묶음 7개와 낱개 2개
97 ➡ 10개씩 묶음 9개와 낱개 7개

창의**7** (1) • 25, 20, 27 중에서 짝수는 20입니다.
• 70과 80 사이에 있는 수는 71, 72, 73……79이므로 71입니다.
• 10개씩 묶음이 9개인 수이므로 90입니다.
(2) • 33, 24, 50 중에서 홀수는 33입니다.
• 50보다 크고 60보다 작은 수는 51, 52, 53……59이므로 56입니다.
• 낱개가 3개인 수는 ■3이므로 83입니다.

2주 • 덧셈과 뺄셈 (1)

48~49쪽	2주에 배울 내용을 알아볼까요? ②

1-1 5	**1**-2 6	**1**-3 8
1-4 9	**1**-5 6	**1**-6 8
2-1 2	**2**-2 4	**2**-3 4
2-4 3	**2**-5 1	**2**-6 7

51쪽	똑똑한 계산 연습

① 15	② 24	③ 39
④ 57	⑤ 38	⑥ 47
⑦ 16	⑧ 26	⑨ 45
⑩ 68	⑪ 58	⑫ 77

①~⑥ 낱개끼리 더하여 낱개의 자리에 쓰고,
10개씩 묶음의 수는 그대로 내려씁니다.

⑦ $10+6=16$
$0+6=6$

⑧ $22+4=26$
$2+4=6$

⑨ $43+2=45$
$3+2=5$

⑩ $67+1=68$
$7+1=8$

⑪ $55+3=58$
$5+3=8$

⑫ $73+4=77$
$3+4=7$

53쪽	똑똑한 계산 연습

① 23	② 19	③ 36
④ 47	⑤ 59	⑥ 76
⑦ 16	⑧ 35	⑨ 28
⑩ 53	⑪ 46	⑫ 89

①~⑥ 낱개끼리 더하여 낱개의 자리에 쓰고,
10개씩 묶음의 수는 그대로 내려씁니다.

⑦ $4+12=16$
$4+2=6$

⑧ $3+32=35$
$3+2=5$

⑨ $6+22=28$
$6+2=8$

⑩ $3+50=53$
$3+0=3$

⑪ $5+41=46$
$5+1=6$

⑫ $7+82=89$
$7+2=9$

54~55쪽	기초 집중 연습

1-1 17	**1**-2 38
1-3 25	**1**-4 49
2-1 29	**2**-2 56
2-3 35	**2**-4 69
3-1 5, 17	**3**-2 8, 28
3-3 6, 22, 28	**3**-4 6, 12, 18
4-1 4, 19	**4**-2 23, 5, 28

1-1
```
   1 4
 +   3
   1 7
```

1-2
```
   3 6
 +   2
   3 8
```

1-3
```
     4
 + 2 1
   2 5
```

1-4
```
     7
 + 4 2
   4 9
```

> **주의**
> 세로셈으로 계산할 때에는 자리를 잘 맞추어 계산
> 해야 합니다.
>
> 예
> ```
>     4
>  + 2 1
>    2 5
> ```
> (○)
> ```
>   4
> + 2 1
>   6 1
> ```
> (✕)

2-1
```
   2 7
 +   2
   2 9
```

2-2
```
   5 2
 +   4
   5 6
```

2-3
```
     5
 + 3 0
   3 5
```

2-4
```
     6
 + 6 3
   6 9
```

3-1
```
   1 2
 +   5
   1 7
```

3-2
```
   2 0
 +   8
   2 8
```

3-3
```
      6
  + 2 2
  ─────
    2 8
```

3-4
```
      6
  + 1 2
  ─────
    1 8
```

4-1 15보다 4만큼 더 큰 수 ⇨ 15+4=19

4-2 23보다 5만큼 더 큰 수 ⇨ 23+5=28

57쪽	똑똑한 계산 연습	
① 30	② 60	③ 60
④ 80	⑤ 50	⑥ 70
⑦ 80	⑧ 90	⑨ 80
⑩ 70	⑪ 90	⑫ 90

① ~ ⑫ 낱개가 없으므로 10개씩 묶음끼리만 더합니다.

59쪽	똑똑한 계산 연습
① 40	② 40
③ 70	④ 50
⑤ 70	⑥ 60
⑦ 60	⑧ 90
⑨ 70	⑩ 80

① 1+3=4 → 10+30=40

② 2+2=4 → 20+20=40

③ 3+4=7 → 30+40=70

④ 4+1=5 → 40+10=50

⑤ 2+5=7 → 20+50=70

⑥ 5+1=6 → 50+10=60

⑦ 3+3=6 → 30+30=60

⑧ 4+5=9 → 40+50=90

⑨ 6+1=7 → 60+10=70

⑩ 5+3=8 → 50+30=80

60~61쪽	기초 집중 연습
1-1 40	**1-2** 80
1-3 90	**1-4** 70
2-1 20	**2-2** 70
2-3 90	**2-4** 90
3-1 10, 30	**3-2** 20, 60
3-3 50, 20, 70 (또는 20+50=70(원))	
3-4 60, 30, 90 (또는 30+60=90(원))	
4-1 30, 40	**4-2** 30, 50

1-1
```
    3 0
  + 1 0
  ─────
    4 0
```

1-2
```
    2 0
  + 6 0
  ─────
    8 0
```

1-3
```
    4 0
  + 5 0
  ─────
    9 0
```

1-4
```
    6 0
  + 1 0
  ─────
    7 0
```

2-1
```
    1 0
  + 1 0
  ─────
    2 0
```

2-2
```
    4 0
  + 3 0
  ─────
    7 0
```

2-3
```
    7 0
  + 2 0
  ─────
    9 0
```

2-4
```
    8 0
  + 1 0
  ─────
    9 0
```

3-1
```
    2 0
  + 1 0
  ─────
    3 0
```

3-2
```
    4 0
  + 2 0
  ─────
    6 0
```

3-3
```
    5 0
  + 2 0
  ─────
    7 0
```

3-4
```
    6 0
  + 3 0
  ─────
    9 0
```

4-1 (흰 바둑돌의 수)+(검은 바둑돌의 수)
=10+30=40(개)

4-2 (금붕어의 수)+(열대어의 수)
=20+30=50(마리)

63쪽	똑똑한 계산 연습	
① 28	② 54	③ 33
④ 49	⑤ 68	⑥ 76
⑦ 56	⑧ 69	⑨ 66
⑩ 79	⑪ 75	⑫ 97

①~⑫ 낱개는 낱개끼리, 10개씩 묶음은 10개씩 묶음끼리 자리를 맞추어 더합니다.

65쪽	**똑똑한 계산 연습**

① 36　　　② 48
③ 47　　　④ 94
⑤ 56　　　⑥ 87
⑦ 77　　　⑧ 59
⑨ 87　　　⑩ 97

① $12+24=36$ （1+2=3, 2+4=6）

② $17+31=48$ （1+3=4, 7+1=8）

③ $33+14=47$ （3+1=4, 3+4=7）

④ $51+43=94$ （5+4=9, 1+3=4）

⑤ $26+30=56$ （2+3=5, 6+0=6）

⑥ $42+45=87$ （4+4=8, 2+5=7）

⑦ $52+25=77$ （5+2=7, 2+5=7）

⑧ $38+21=59$ （3+2=5, 8+1=9）

⑨ $16+71=87$ （1+7=8, 6+1=7）

⑩ $85+12=97$ （8+1=9, 5+2=7）

66~67쪽	**기초 집중 연습**

1-1 56　　　**1**-2 78
1-3 79　　　**1**-4 79
2-1 ( )(×)( )　　　**2**-2 ( )( )(×)
2-3 (×)( )( )
3-1 35　　　**3**-2 24, 69
3-3 34, 33, 67 (또는 33+34=67(점))
3-4 57, 21, 78 (또는 21+57=78(점))
4-1 31, 57
4-2 28, 21, 49 (또는 21+28=49(개))

1-1
```
  2 3
+ 3 3
─────
  5 6
```
1-2
```
  4 7
+ 3 1
─────
  7 8
```
1-3
```
  5 4
+ 2 5
─────
  7 9
```
1-4
```
  6 3
+ 1 6
─────
  7 9
```

2-1 $20+25=45$, $24+22=46$, $31+14=45$

2-2 $33+24=57$, $46+11=57$, $26+32=58$

2-3 $52+14=66$, $31+37=68$, $45+23=68$

3-1
```
  1 5
+ 2 0
─────
  3 5
```
3-2
```
  4 5
+ 2 4
─────
  6 9
```
3-3
```
  3 4
+ 3 3
─────
  6 7
```
3-4
```
  5 7
+ 2 1
─────
  7 8
```

4-1 (빨강 단추의 수)＋(노랑 단추의 수)
　　　$=26+31=57$(개)

4-2 (사탕의 수)＋(초콜릿의 수)
　　　$=28+21=49$(개)

69쪽	**똑똑한 계산 연습**

① 15　　② 31　　③ 22
④ 55　　⑤ 40　　⑥ 72
⑦ 20　　⑧ 41　　⑨ 51
⑩ 61　　⑪ 82　　⑫ 72

①~⑥ 낱개끼리 빼어 낱개의 자리에 쓰고, 10개씩 묶음의 수는 그대로 내려씁니다.

⑦ $25-5=20$ （5-5=0）

⑧ $43-2=41$ （3-2=1）

⑨ $55-4=51$ （5-4=1）

⑩ $67-6=61$ （7-6=1）

⑪ $89-7=82$ （9-7=2）

⑫ $78-6=72$ （8-6=2）

정답 및 풀이 • **9**

71쪽 | 똑똑한 계산 연습

1. 10
2. 20
3. 20
4. 10
5. 50
6. 30
7. 10
8. 40
9. 30
10. 40
11. 70
12. 50

1 ~ 6 낱개가 없으므로 10개씩 묶음끼리만 뺍니다.

7
$3-2=1$
$30-20=10$

8
$5-1=4$
$50-10=40$

9
$7-4=3$
$70-40=30$

10
$6-2=4$
$60-20=40$

11
$8-1=7$
$80-10=70$

12
$9-4=5$
$90-40=50$

72~73쪽 | 기초 집중 연습

1-1 13
1-2 33
1-3 66
1-4 50
1-5 72
1-6 81

2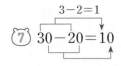

3-1 7, 31
3-2 48, 40
3-3 79, 8, 71
3-4 59, 7, 52
4-1 6, 21
4-2 20, 10

1-1
$$\begin{array}{r} 1\ 9 \\ -\quad 6 \\ \hline 1\ 3 \end{array}$$

1-2
$$\begin{array}{r} 3\ 8 \\ -\quad 5 \\ \hline 3\ 3 \end{array}$$

1-3
$$\begin{array}{r} 6\ 8 \\ -\quad 2 \\ \hline 6\ 6 \end{array}$$

1-4
$$\begin{array}{r} 5\ 9 \\ -\quad 9 \\ \hline 5\ 0 \end{array}$$

1-5
$$\begin{array}{r} 7\ 5 \\ -\quad 3 \\ \hline 7\ 2 \end{array}$$

1-6
$$\begin{array}{r} 8\ 8 \\ -\quad 7 \\ \hline 8\ 1 \end{array}$$

2 $50-40=10$, $60-30=30$, $70-50=20$
    $60-40=20$, $80-50=30$, $90-80=10$

3-1
$$\begin{array}{r} 3\ 8 \\ -\quad 7 \\ \hline 3\ 1 \end{array}$$

3-2
$$\begin{array}{r} 4\ 8 \\ -\quad 8 \\ \hline 4\ 0 \end{array}$$

참고
(남은 퍼즐 조각의 수)
=(전체 퍼즐 조각의 수)−(맞춘 퍼즐 조각의 수)

3-3
$$\begin{array}{r} 7\ 9 \\ -\quad 8 \\ \hline 7\ 1 \end{array}$$

3-4
$$\begin{array}{r} 5\ 9 \\ -\quad 7 \\ \hline 5\ 2 \end{array}$$

4-1 (남은 사탕의 수)
    =(처음에 있던 사탕의 수)−(먹은 사탕의 수)
    $=27-6=21$(개)

4-2 (남은 연필의 수)
    =(처음에 있던 연필의 수)
      −(동생에게 준 연필의 수)
    $=20-10=10$(자루)

75쪽 | 똑똑한 계산 연습

1. 23
2. 20
3. 11
4. 34
5. 23
6. 25
7. 33
8. 11
9. 62
10. 52
11. 43
12. 34

1 ~ 12 낱개는 낱개끼리, 10개씩 묶음은 10개씩 묶음끼리 자리를 맞추어 뺍니다.

77쪽 | 똑똑한 계산 연습

1. 23
2. 29
3. 10
4. 31
5. 31
6. 13
7. 53
8. 22
9. 53
10. 23

1
$3-1=2$
$34-11=23$
$4-1=3$

2
$4-2=2$
$49-20=29$
$9-0=9$

3
$2-1=1$
$25-15=10$
$5-5=0$

4
$5-2=3$
$53-22=31$
$3-2=1$

⑤ 48−17=31
4−1=3
8−7=1

⑥ 67−54=13
6−5=1
7−4=3

⑦ 77−24=53
7−2=5
7−4=3

⑧ 56−34=22
5−3=2
6−4=2

⑨ 88−35=53
8−3=5
8−5=3

⑩ 94−71=23
9−7=2
4−1=3

3-3
$$\begin{array}{r} 3\ 7 \\ -\ 2\ 1 \\ \hline 1\ 6 \end{array}$$

3-4
$$\begin{array}{r} 2\ 2 \\ -\ 2\ 0 \\ \hline 2 \end{array}$$

4-1 (남은 구슬의 수)
= (처음에 있던 구슬의 수)
− (친구에게 준 구슬의 수)
= 35−13=22(개)

4-2 (배의 수)
= (사과의 수)−25=56−25=31(개)

80~81쪽	누구나 100점 맞는 TEST

❶ 28	❷ 48	❸ 80
❹ 72	❺ 78	❻ 31
❼ 30	❽ 37	❾ 51
❿ 43	⓫ 39	⓬ 47
⓭ 60	⓮ 72	⓯ 98
⓰ 66	⓱ 10	⓲ 55
⓳ 11	⓴ 55	

❶
$$\begin{array}{r} 2\ 6 \\ +\ \ 2 \\ \hline 2\ 8 \end{array}$$

❷
$$\begin{array}{r} 7 \\ +\ 4\ 1 \\ \hline 4\ 8 \end{array}$$

❸
$$\begin{array}{r} 1\ 0 \\ +\ 7\ 0 \\ \hline 8\ 0 \end{array}$$

❹
$$\begin{array}{r} 6\ 2 \\ +\ 1\ 0 \\ \hline 7\ 2 \end{array}$$

❺
$$\begin{array}{r} 4\ 2 \\ +\ 3\ 6 \\ \hline 7\ 8 \end{array}$$

❻
$$\begin{array}{r} 3\ 9 \\ -\ \ 8 \\ \hline 3\ 1 \end{array}$$

❼
$$\begin{array}{r} 5\ 0 \\ -\ 2\ 0 \\ \hline 3\ 0 \end{array}$$

❽
$$\begin{array}{r} 6\ 7 \\ -\ 3\ 0 \\ \hline 3\ 7 \end{array}$$

❾
$$\begin{array}{r} 7\ 6 \\ -\ 2\ 5 \\ \hline 5\ 1 \end{array}$$

❿
$$\begin{array}{r} 8\ 5 \\ -\ 4\ 2 \\ \hline 4\ 3 \end{array}$$

⓫
$$\begin{array}{r} 3\ 5 \\ +\ \ 4 \\ \hline 3\ 9 \end{array}$$

⓬
$$\begin{array}{r} 6 \\ +\ 4\ 1 \\ \hline 4\ 7 \end{array}$$

⓭
$$\begin{array}{r} 5\ 0 \\ +\ 1\ 0 \\ \hline 6\ 0 \end{array}$$

⓮
$$\begin{array}{r} 4\ 2 \\ +\ 3\ 0 \\ \hline 7\ 2 \end{array}$$

78~79쪽	기초 집중 연습

1-1 11   **1**-2 22
1-3 34   **1**-4 45
2-1 13   **2**-2 31
2-3 21   **2**-4 11
3-1 23, 22   **3**-2 36, 22
3-3 37, 21, 16   **3**-4 22, 20, 2
4-1 13, 22   **4**-2 56, 25, 31

1-1
$$\begin{array}{r} 2\ 4 \\ -\ 1\ 3 \\ \hline 1\ 1 \end{array}$$

1-2
$$\begin{array}{r} 3\ 9 \\ -\ 1\ 7 \\ \hline 2\ 2 \end{array}$$

1-3
$$\begin{array}{r} 5\ 5 \\ -\ 2\ 1 \\ \hline 3\ 4 \end{array}$$

1-4
$$\begin{array}{r} 7\ 8 \\ -\ 3\ 3 \\ \hline 4\ 5 \end{array}$$

2-1 43>30 ⇨ 43−30=13

> **참고**
>
> 차는 큰 수에서 작은 수를 뺍니다.

2-2 27<58 ⇨ 58−27=31

2-3 46>25 ⇨ 46−25=21

2-4 51<62 ⇨ 62−51=11

3-1
$$\begin{array}{r} 4\ 5 \\ -\ 2\ 3 \\ \hline 2\ 2 \end{array}$$

3-2
$$\begin{array}{r} 3\ 6 \\ -\ 1\ 4 \\ \hline 2\ 2 \end{array}$$

풀이

⑮　　 7 6
　　＋ 2 2
　　─────
　　　 9 8

⑯　　 6 9
　　－　 3
　　─────
　　　 6 6

⑰　　 7 0
　　－ 6 0
　　─────
　　　 1 0

⑱　　 8 5
　　－ 3 0
　　─────
　　　 5 5

⑲　　 6 8
　　－ 5 7
　　─────
　　　 1 1

⑳　　 7 9
　　－ 2 4
　　─────
　　　 5 5

82~87쪽 특강	창의·융합·코딩

창의**1** 23, 6, 29 ; 25, 10, 35 ; 29, 35

창의**2** 31, 32, 30 ; 주희

창의**3**

```
      ─3
   ┌────────┐
 26          22
   └────────┘
      ─4
```

융합**4** 39

창의**5**

```
출발⇨ 10+10=20   20+30=50   30+30=50

      30+60=80   40+50=90   70+10=80

      20+10=40   50+20=60    (놀이터)
```

창의**6**

```
                              66

                              ↑

  69  ➡  64  ➡  54
 〈출발〉
```

창의**7**

```
  ①      ㉠
  3       4

        ②      ㉡
        3       5
 ㉢
 7
        ③     ㉣
        4      5      2

              ④
              6      8
```

코딩**8**

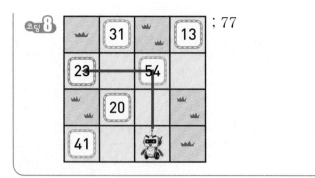

; 77

창의**1** (승우에게 필요한 칭찬 붙임 딱지의 수)
　　＝23＋6＝29(장)
　　(주희에게 필요한 칭찬 붙임 딱지의 수)
　　＝25＋10＝35(장)

창의**2** 민희:　　 3 6　　주희:　　 3 8　　석진:　　 4 2
　　　　　 －　 5　　　　　 －　 6　　　　　 － 1 2
　　　　　 ─────　　　　 ─────　　　　 ─────
　　　　　　 3 1　　　　　　 3 2　　　　　　 3 0

　　⇨ 탕수육을 먹을 수 있는 사람은 쿠폰을 32장
　　　 가지고 있는 주희입니다.

창의**3** 26－3＝23, 26－4＝22

융합**4** (상자의 무게)＝27＋12＝39

창의**5** 30＋30＝60, 30＋60＝90, 20＋10＝30,
　　50＋20＝70

창의**6**

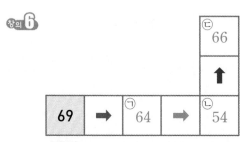

　　㉠ 69보다 5만큼 더 작은 수 ⇨ 69－5＝64
　　㉡ 64보다 10만큼 더 작은 수 ⇨ 64－10＝54
　　㉢ 54보다 12만큼 더 큰 수 ⇨ 54＋12＝66

창의**7**　② 　 1 4　③ 　　 5　④ 　 2 6
　　　　 ＋ 2 1　　　＋ 4 0　　　＋ 4 2
　　　　 ─────　　 ─────　　 ─────
　　　　　 3 5　　　　 4 5　　　　 6 8

　　●㉠ 　 5 8　●㉡ 　 8 3　●㉣ 　 5 9
　　　　 － 1 5　　　－ 3 1　　　－　 3
　　　　 ─────　　 ─────　　 ─────
　　　　　 4 3　　　　 5 2　　　　 5 6

코딩**8** 로봇이 주운 수 카드에 적힌 두 수: 54, 23
　　⇨ 54＋23＝77

덧셈과 뺄셈 (2)

90~91쪽	3주에 배울 내용을 알아볼까요? ②

1-1 10 **1-2** 10
1-3 7 **1-4** 9
2-1 13 **2-2** 47
2-3 16 **2-4** 10

1-1 2와 8을 모으기 하면 10이 됩니다.

1-3 10은 7과 3으로 가르기 할 수 있습니다.

93쪽	똑똑한 계산 연습

① (계산 순서대로) 5, 8 ; 8
② (계산 순서대로) 3, 7 ; 7
③ (계산 순서대로) 5, 9 ; 9
④ (계산 순서대로) 2, 5 ; 5
⑤ (계산 순서대로) 5 ; 5, 8 ; 8
⑥ (계산 순서대로) 4 ; 4, 9 ; 9
⑦ (계산 순서대로) 6 ; 6, 7 ; 7
⑧ (계산 순서대로) 7 ; 7, 8 ; 8

①~⑧ 앞의 두 수의 덧셈을 하여 나온 수에 나머지 한 수를 더합니다.

95쪽	똑똑한 계산 연습

① (계산 순서대로) 4, 1 ; 1
② (계산 순서대로) 6, 4 ; 4
③ (계산 순서대로) 3, 2 ; 2
④ (계산 순서대로) 4, 3 ; 3
⑤ (계산 순서대로) 5 ; 5, 3 ; 3
⑥ (계산 순서대로) 8 ; 8, 2 ; 2
⑦ (계산 순서대로) 2 ; 2, 0 ; 0
⑧ (계산 순서대로) 7 ; 7, 4 ; 4

①~⑧ 앞의 두 수의 뺄셈을 하여 나온 수에서 나머지 한 수를 뺍니다.

96~97쪽	기초 집중 연습

1-1 8 **1-2** 1
1-3 7 **1-4** 4
2-1 6 **2-2** 1
2-3 8 **2-4** 2
3-1 2, 1, 6 **3-2** 9, 2, 4
3-3 6, 2, 1, 9 **3-4** 3, 1, 2, 0
4-1 4, 2, 9 **4-2** 3, 2, 3

1-1 $5+1+2=8$
6
8

1-2 $7-2-4=1$
5
1

1-3 $2+1+4=7$
3
7

1-4 $9-3-2=4$
6
4

2-1 $4+1+1=6$
5
6

2-2 $6-2-3=1$
4
1

2-3 $3+2+3=8$
5
8

2-4 $8-5-1=2$
3
2

3-1 $3+2+1=6$(개)
5
6

3-2 $9-2-3=4$(개)
7
4

3-3 $6+2+1=9$(개)
8
9

3-4 $3-1-2=0$(개)
2
0

4-1 (1반에 안경을 쓴 학생 수)
+(2반에 안경을 쓴 학생 수)
+(3반에 안경을 쓴 학생 수)
$=3+4+2=7+2=9$(명)

4-2 (처음에 있던 곶감의 수)
−(내가 먹은 곶감의 수)
−(동생이 먹은 곶감의 수)
$=8-3-2=5-2=3$(개)

정답 및 풀이

99쪽	똑똑한 계산 연습

① 10, 11 ; 11 ② 10, 11, 12 ; 12
③ 11 ④ 15
⑤ 12 ⑥ 13
⑦ 17 ⑧ 13

① 7개 하고 4개 더 있으므로 7하고 8, 9, 10, 11입니다. ⇨ $7+4=11$

② 9개 하고 3개 더 있으므로 9하고 10, 11, 12입니다. ⇨ $9+3=12$

③ 8개 하고 3개 더 있으므로 8하고 9, 10, 11입니다. ⇨ $8+3=11$

④ 7개 하고 8개 더 있으므로 7하고 8, 9, 10, 11, 12, 13, 14, 15입니다. ⇨ $7+8=15$

⑤ 6개 하고 6개 더 있으므로 6하고 7, 8, 9, 10, 11, 12입니다. ⇨ $6+6=12$

⑥ 7개 하고 6개 더 있으므로 7하고 8, 9, 10, 11, 12, 13입니다. ⇨ $7+6=13$

⑦ 9개 하고 8개 더 있으므로 9하고 10, 11, 12, 13, 14, 15, 16, 17입니다. ⇨ $9+8=17$

⑧ 8개 하고 5개 더 있으므로 8하고 9, 10, 11, 12, 13입니다. ⇨ $8+5=13$

101쪽	똑똑한 계산 연습

① 11 ; 11 ② 14 ; 14
③ 13 ; 13 ④ 11 ; 11
⑤ 11 ; 11 ⑥ 16 ; 16

① $6+5=11$이고, $5+6=11$이므로 6과 5를 바꾸어 더해도 결과는 11로 같습니다.

② $8+6=14$이고, $6+8=14$이므로 8과 6을 바꾸어 더해도 결과는 14로 같습니다.

④ $9+2=11$이고, $2+9=11$이므로 9와 2를 바꾸어 더해도 결과는 11로 같습니다.

⑥ $9+7=16$이고, $7+9=16$이므로 9와 7을 바꾸어 더해도 결과는 16으로 같습니다.

102~103쪽	기초 집중 연습

1-1 11 **1-2** 14
1-3 14 **1-4** 15
2-1 5 **2-2** 4
2-3 8 **2-4** 6
2-5 9 **2-6** 5
3-1 5, 14 **3-2** 8, 15
3-3 7, 6, 13 또는 6, 7, 13
3-4 8, 9, 17 또는 9, 8, 17
4-1 8, 12 **4-2** 6, 15
4-3 5, 7, 12 또는 7, 5, 12
4-4 8, 6, 14 또는 6, 8, 14

[2-1~2-6] 두 수를 바꾸어 더해도 합은 같다는 사실을 이용하여 ☐ 안에 알맞은 수를 구합니다.

3-1 과녁을 9점, 5점에 맞혔으므로 $9+5=14$(점)입니다.

3-2 과녁을 8점, 7점에 맞혔으므로 $8+7=15$(점)입니다.

3-3 과녁을 7점, 6점에 맞혔으므로 $7+6=13$(점) 또는 $6+7=13$(점)입니다.

3-4 과녁을 8점, 9점에 맞혔으므로 $8+9=17$(점) 또는 $9+8=17$(점)입니다.

4-1 4보다 8만큼 더 큰 수 ⇨ $4+8=12$

4-2 6보다 9만큼 더 큰 수 ⇨ $6+9=15$

4-3 (빨간색 구슬의 수)+(파란색 구슬의 수)
$=5+7=12$(개)

4-4 (병아리의 수)+(닭의 수)$=8+6=14$(마리)

105쪽	**똑똑한 계산 연습**

① 6　　　　　② 2, 8
③ 5, 5　　　　④ 7, 3
⑤ 10　　　　　⑥ 10
⑦ 10　　　　　⑧ 10
⑨ 10　　　　　⑩ 10
⑪ 10　　　　　⑫ 10

① 연두색 구슬이 4개, 보라색 구슬이 6개이면 4와 6을 더하여 10입니다.

② 연두색 구슬이 2개, 보라색 구슬이 8개이면 2와 8을 더하여 10입니다.

③ 연두색 구슬이 5개, 보라색 구슬이 5개이면 5와 5를 더하여 10입니다.

④ 연두색 구슬이 7개, 보라색 구슬이 3개이면 7과 3을 더하여 10입니다.

⑤ 9와 1을 더하면 10입니다.

107쪽	**똑똑한 계산 연습**

① ; 3　　　　② ; 1
③ ; 5　　　　④ ; 6
⑤ ; 8　　　　⑥ ; 9
⑦ 4　　　　　⑧ 2
⑨ 7　　　　　⑩ 5

① 합이 10이 되려면 ○를 3개 더 그려야 합니다.

② 합이 10이 되려면 ○를 1개 더 그려야 합니다.

③ 합이 10이 되려면 ○를 5개 더 그려야 합니다.

④ 합이 10이 되려면 ○를 6개 더 그려야 합니다.

⑦ ●●●● ○○○○○○ ⇨ 10개
　　4개　　　　6개

⑧ ●● ○○○○○○○○ ⇨ 10개
　2개　　　　8개

⑨ ●●●●●●● ○○○ ⇨ 10개
　　　7개　　　　3개

⑩ ●●●●● ○○○○○ ⇨ 10개
　　5개　　　　5개

108~109쪽	**기초 집중 연습**

1-1 10　　　　**1**-2 10
1-3 10　　　　**1**-4 10
2-1 6 ; 6　　　**2**-2 1 ; 1
2-3 5 ; 5　　　**2**-4 8 ; 8
3-1 ╳ ｜｜　　**3**-2 ╳╳
4-1 6, 10　　　**4**-2 8, 10
4-3 7, 3, 10 또는 3, 7, 10
4-4 5, 5, 10

2-1 4와 더해서 10이 되는 수는 6입니다.

2-2 9와 더해서 10이 되는 수는 1입니다.

2-3 5를 더해서 10이 되는 수는 5입니다.

2-4 2를 더해서 10이 되는 수는 8입니다.

3-1 🧁🧁 ⇨ 4, 🧁🧁🧁🧁🧁🧁 ⇨ 7, 🧁 ⇨ 1

두 수의 합이 10이 되는 경우는 4와 6, 7과 3, 1과 9입니다.

3-2 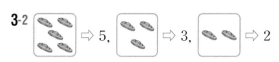 ⇨ 5, ⇨ 3, ⇨ 2

두 수의 합이 10이 되는 경우는 5와 5, 3과 7, 2와 8입니다.

4-1 4와 6의 합 ⇨ 4+6=10

4-2 8과 2의 합 ⇨ 8+2=10

4-3 (어제 읽은 동화책의 쪽수)
　　＋(오늘 읽은 동화책의 쪽수)
　　＝7＋3＝10(쪽)

4-4 (다미가 심은 꽃의 수)＋(동생이 심은 꽃의 수)
　　＝5＋5＝10(송이)

111쪽	똑똑한 계산 연습
① 5	② 4
③ 3	④ 1
⑤ 8	⑥ 7
⑦ 6	⑧ 5
⑨ 9	⑩ 2

① 사과 10개에서 5개를 빼면 5개가 남습니다.

② 달 10개와 별 6개를 하나씩 연결해 보면 달이 4개 더 많습니다.

③ 파프리카 10개에서 7개를 빼면 3개가 남습니다.

④ 바나나 10개와 귤 9개를 하나씩 연결해 보면 바나나가 1개 더 많습니다.

113쪽	똑똑한 계산 연습

① (예) ; 1

② (예) ; 3

③ (예) ; 5

④ (예) ; 4

⑤ (예) ; 8

⑥ (예) ; 9

⑦ 6　　⑧ 7
⑨ 5　　⑩ 2

① ○가 9개 남으려면 /으로 1개 지웁니다.

② ○가 7개 남으려면 /으로 3개 지웁니다.

③ ○가 5개 남으려면 /으로 5개 지웁니다.

④ ○가 6개 남으려면 /으로 4개 지웁니다.

⑤ ○가 2개 남으려면 /으로 8개 지웁니다.

⑥ ○가 1개 남으려면 /으로 9개 지웁니다.

114~115쪽		기초 집중 연습	
1-1 2		**1-2** 7	
1-3 5		**1-4** 9	
2-1 7		**2-2** 4	
2-3 9		**2-4** 5	
3-1 6, 4		**3-2** 2, 8	
3-3 10, 3, 7		**3-4** 10, 5, 5	
4-1 9, 1		**4-2** 6, 4	

2-1 $10-\square=3$
　⇨ 10에서 3이 되려면 7을 빼야 합니다.

2-2 $10-\square=6$
　⇨ 10에서 6이 되려면 4를 빼야 합니다.

2-3 $10-\square=1$
　⇨ 10에서 1이 되려면 9를 빼야 합니다.

2-4 $10-\square=5$
　⇨ 10에서 5가 되려면 5를 빼야 합니다.

3-1 구슬 10개가 들어 있는 상자에서 구슬 6개를 꺼냈습니다.
　⇨ $10-6=4$(개)

3-2 구슬 10개가 들어 있는 상자에서 구슬 2개를 꺼냈습니다.
　⇨ $10-2=8$(개)

3-3 구슬 10개가 들어 있는 상자에서 구슬 3개를 꺼냈습니다.

⇨ $10-3=7$(개)

3-4 구슬 10개가 들어 있는 상자에서 구슬 5개를 꺼냈습니다.

⇨ $10-5=5$(개)

4-1 $10-\boxed{1}=9$이므로 어떤 수는 1입니다.

4-2 $10-\boxed{4}=6$이므로 어떤 수는 4입니다.

117쪽	똑똑한 계산 연습

① (계산 순서대로) 10, 16 ; 16
② (계산 순서대로) 10, 15 ; 15
③ (계산 순서대로) 10, 12 ; 12
④ (계산 순서대로) 10, 13 ; 13
⑤ (계산 순서대로) 10, 17 ; 17
⑥ (계산 순서대로) 10, 11 ; 11
⑦ (계산 순서대로) 10, 14 ; 14
⑧ (계산 순서대로) 10, 18 ; 18

① $1+9+6=10+6=16$

② $4+6+5=10+5=15$

119쪽	똑똑한 계산 연습

① (계산 순서대로) 10, 14 ; 14
② (계산 순서대로) 10, 12 ; 12
③ (계산 순서대로) 10, 16 ; 16
④ (계산 순서대로) 10, 11 ; 11
⑤ (계산 순서대로) 10, 18 ; 18
⑥ (계산 순서대로) 10, 19 ; 19
⑦ (계산 순서대로) 10, 15 ; 15
⑧ (계산 순서대로) 10, 16 ; 16

① $4+7+3=4+10=14$

② $2+9+1=2+10=12$

120~121쪽	기초 집중 연습

1-1 5+5에 ◯ ; 12   **1-2** 4+6에 ◯ ; 13
1-3 9+1에 ◯ ; 15   **1-4** 7+3에 ◯ ; 11
1-5 4+6에 ◯ ; 17   **1-6** 2+8에 ◯ ; 16
2-1 19   **2-2** 15
2-3 11   **2-4** 14
3-1 (계산 순서대로) 10, 13 ; 13
3-2 (계산 순서대로) 10, 15 ; 15
4-1 4, 14   **4-2** 6, 16
4-3 5, 7, 17   **4-4** 1, 4, 11

2-1 $\boxed{3+7}+9=10+9=19$

2-2 $5+\boxed{6+4}=5+10=15$

2-3 $\boxed{8+2}+1=10+1=11$

2-4 $4+\boxed{1+9}=4+10=14$

4-1 (사과의 수)+(배의 수)+(키위의 수)
$=3+7+4=10+4=14$(개)

4-2 (위인전의 수)+(동화책의 수)+(만화책의 수)
$=6+1+9=6+10=16$(권)

4-3 (노란색 풍선의 수)+(파란색 풍선의 수)
+(빨간색 풍선의 수)
$=5+5+7=10+7=17$(개)

4-4 (기린의 수)+(토끼의 수)+(코끼리의 수)
$=1+6+4=1+10=11$(마리)

122~123쪽	누구나 100점 맞는 TEST

❶ 13, 13   ❷ 17, 17   ❸ 12, 12
❹ 15, 15   ❺ 10   ❻ 9
❼ 10   ❽ 5   ❾ 10
❿ 6   ⓫ 8   ⓬ 1
⓭ 9   ⓮ 5   ⓯ 7
⓰ 2   ⓱ 17   ⓲ 16
⓳ 14   ⓴ 13

❶ ~ ❹ 두 수를 바꾸어 더해도 답은 같습니다.

⑪ 1+6+1=8
7
8

⑫ 9−5−3=1
4
1

⑬ 4+3+2=9
7
9

⑭ 8−1−2=5
7
5

⑮ 2+1+4=7
3
7

⑯ 6−1−3=2
5
2

⑰ 5+5+7=17
10
17

⑱ 6+9+1=16
10
16

⑲ 2+8+4=14
10
14

⑳ 3+6+4=13
10
13

창의 ❸

4
①13   5
9   10   ②1

• 4+9=13 ⇨ ①=13
• 9+②=10 ⇨ ②=1
  또는 4+②=5 ⇨ ②=1

융합 ❹ (1) 도+레+솔 ⇨ 1+2+5=3+5=8
      (2) 시−미−레 ⇨ 7−3−2=4−2=2

코딩 ❺ • 5는 10보다 작습니다. → 아니오
      • 5+8=13이므로 13은 10보다 큽니다. → 예
        ⇨ 13

창의 ❻ 두 수의 차가 3이 되는 두 수는 10과 7입니다.
      ⇨ 10−7=3

창의 ❼
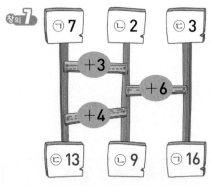

• ㈀ 7+3+6=10+6=16
• ㈁ 2+3+4=5+4=9
• ㈂ 3+6+4=3+10=13

창의 ❽ • 5+5=10이므로 🌰=5입니다.
      • 5+8=13이므로 🥔=13입니다.

창의 ❾ • 10−🥔=8
      ⇨ 10에서 8이 되려면 2를 빼야 하므로 🥔=2
        입니다.
      • 9−2−3=7−3=4이므로 🍅=4입니다.

124~129쪽 특강   창의 · 융합 · 코딩

융합 ❶ 9, 3   융합 ❷ 7, 7 ; 5, 5 ; 도영
창의 ❸ (왼쪽부터) 13, 1
융합 ❹ (1) 2, 5, 8   (2) 7, 3, 2, 2
코딩 ❺ 13
창의 ❻
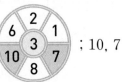 ; 10, 7

창의 ❼ (왼쪽부터) 13, 9, 16
창의 ❽ 5, 13   창의 ❾ 2, 4

융합 ❷ • 도영: 10개를 던져서 고리 3개가 바닥에 있으
        므로 걸린 고리는 7개입니다.
        → 10−□=3, □=7
      • 선우: 10개를 던져서 고리 5개가 바닥에 있으
        므로 걸린 고리는 5개입니다.
        → 10−□=5, □=5
      ⇨ 걸린 고리의 수가 더 많은 사람은 도영입니다.

4주 · 덧셈과 뺄셈(3)

132~133쪽 **4주에 배울 내용을 알아볼까요? ②**

1-1 79, 81 **1-2** 55, 57
1-3 70, 72 **1-4** 93, 95
2-1 49 **2-2** 70
2-3 99 **2-4** 34
2-5 20 **2-6** 42

135쪽 **똑똑한 계산 연습**

① 11 ; 11, 1 ② 12 ; 12, 2
③ 14 ; 14, 4 ④ 12 ; 12, 2

① 9와 2를 모으기 하면 11이 되고, 11은 10과 1로 가르기 할 수 있습니다.

② 7과 5를 모으기 하면 12가 되고, 12는 10과 2로 가르기 할 수 있습니다.

③ 8과 6을 모으기 하면 14가 되고, 14는 10과 4로 가르기 할 수 있습니다.

④ 6과 6을 모으기 하면 12가 되고, 12는 10과 2로 가르기 힐 수 있습니다.

137쪽 **똑똑한 계산 연습**

① 12 ; 12, 2 ② 16 ; 16, 6
③ 13 ; 13, 3 ④ 14 ; 14, 4
⑤ 12 ; 12, 2 ⑥ 11 ; 11, 1
⑦ 18 ; 18, 8 ⑧ 17 ; 17, 7

① 9와 3을 모으기 하면 12가 되고, 12는 10과 2로 가르기 할 수 있습니다.

② 8과 8을 모으기 하면 16이 되고, 16은 10과 6으로 가르기 할 수 있습니다.

③ 6과 7을 모으기 하면 13이 되고, 13은 10과 3으로 가르기 할 수 있습니다.

④ 5와 9를 모으기 하면 14가 되고, 14는 10과 4로 가르기 할 수 있습니다.

⑤ 8과 4를 모으기 하면 12가 되고, 12는 10과 2로 가르기 할 수 있습니다.

⑥ 4와 7을 모으기 하면 11이 되고, 11은 10과 1로 가르기 할 수 있습니다.

⑦ 9와 9를 모으기 하면 18이 되고, 18은 10과 8로 가르기 할 수 있습니다.

⑧ 9와 8을 모으기 하면 17이 되고, 17은 10과 7로 가르기 할 수 있습니다.

138~139쪽 **기초 집중 연습**

1-1 16, 6 **1-2** 12, 2
1-3 14, 4 **1-4** 15, 5
1-5 14, 4 **1-6** 18, 8
1-7 13, 3 **1-8** 11, 1
2-1 2 **2-2** 5
2-3 8 **2-4** 6
3-1 6 **3-2** 2

1-1 8과 8을 모으기 하면 16이 되고, 16은 10과 6으로 가르기 할 수 있습니다.

1-2 5와 7을 모으기 하면 12가 되고, 12는 10과 2로 가르기 할 수 있습니다.

1-3 9와 5를 모으기 하면 14가 되고, 14는 10과 4로 가르기 할 수 있습니다.

1-4 7과 8을 모으기 하면 15가 되고, 15는 10과 5로 가르기 할 수 있습니다.

1-5 8과 6을 모으기 하면 14가 되고, 14는 10과 4로 가르기 할 수 있습니다.

1-6 9와 9를 모으기 하면 18이 되고, 18은 10과 8로 가르기 할 수 있습니다.

1-7 6과 7을 모으기 하면 13이 되고, 13은 10과 3으로 가르기 할 수 있습니다.

1-8 5와 6을 모으기 하면 11이 되고, 11은 10과 1로 가르기 할 수 있습니다.

2-1 6과 6을 모으기 하면 12가 되고, 12는 10과 2로 가르기 할 수 있으므로 초콜릿 12개 중 10개를 상자에 담고 남는 초콜릿은 2개입니다.

2-2 8과 7을 모으기 하면 15가 되고, 15는 10과 5로 가르기 할 수 있으므로 초콜릿 15개 중 10개를 상자에 담고 남는 초콜릿은 5개입니다.

2-3 9와 9를 모으기 하면 18이 되고, 18은 10과 8로 가르기 할 수 있으므로 초콜릿 18개 중 10개를 상자에 담고 남는 초콜릿은 8개입니다.

2-4 7과 9를 모으기 하면 16이 되고, 16은 10과 6으로 가르기 할 수 있으므로 초콜릿 16개 중 10개를 상자에 담고 남는 초콜릿은 6개입니다.

3-1 9와 7을 모으기 하면 16이 되고, 16은 10과 6으로 가르기 할 수 있습니다.

3-2 4와 8을 모으기 하면 12가 되고, 12는 10과 2로 가르기 할 수 있습니다.

141쪽	똑똑한 계산 연습

① (계산 순서대로) 3, 13 ② (계산 순서대로) 2, 12
③ (계산 순서대로) 1, 12 ④ (계산 순서대로) 4, 11
⑤ (계산 순서대로) 2, 14 ⑥ (계산 순서대로) 3, 11
⑦ (계산 순서대로) 1, 17 ⑧ (계산 순서대로) 4, 12

① 7과 3을 더해 10을 만들고 남은 3을 더합니다.

② 8과 2를 더해 10을 만들고 남은 2를 더합니다.

143쪽	똑똑한 계산 연습

① (계산 순서대로) 4, 12 ② (계산 순서대로) 2, 15
③ (계산 순서대로) 6, 13 ④ (계산 순서대로) 2, 13
⑤ (계산 순서대로) 2, 12 ⑥ (계산 순서대로) 1, 17
⑦ (계산 순서대로) 3, 13 ⑧ (계산 순서대로) 4, 11

① 6과 4를 더해 10을 만들고 남은 2를 더합니다.

② 8과 2를 더해 10을 만들고 남은 5를 더합니다.

144~145쪽	기초 집중 연습

1-1 13   **1-2** 12
1-3 11   **1-4** 11
2-1 8+6=14   **2-2** 5+9=14
        2 4   5 4
2-3 4+7=11   **2-4** 9+3=12
        6 1   1 2
2-5 7+8=15
        3 5
3-1 13   **3-2** 13
3-3 6, 15   **3-4** 8, 11
4-1 11   **4-2** 13
4-3 7, 12   **4-4** 4, 12

1-1 9+4=13   **1-2** 7+5=12
        1 3   3 2

1-3 3+8=11   **1-4** 5+6=11
        1 2   1 4

2-1 8+6=14와 같이 계산할 수도 있습니다.
        4 4

2-2 5+9=14와 같이 계산할 수도 있습니다.
        4 1

2-3 4+7=11과 같이 계산할 수도 있습니다.
        1 3

2-4 9+3=12와 같이 계산할 수도 있습니다.
        2 7

2-5 7+8=15와 같이 계산할 수도 있습니다.
        5 2

3-1 5+8=13(개)   **3-2** 7+6=13(개)
        3 2   3 3

3-3 9+6=15(개)   **3-4** 3+8=11(개)
        1 5   1 2

4-3 (오늘 읽은 쪽수)=(어제 읽은 쪽수)+7
              =5+7=12(쪽)

4-4 (오늘 마신 물잔 수)=(어제 마신 물잔 수)+4
              =8+4=12(잔)

똑똑한 계산 연습

① 11, 12, 13, 14 ② 15, 14, 13, 12
③ 12, 13, 14, 15 ④ 13, 13, 13, 13
⑤ 16, 15, 14, 13 ⑥ 12, 12, 12, 12

① 같은 수에 1씩 커지는 수를 더하면 합도 1씩 커집니다.

② 1씩 작아지는 수에 같은 수를 더하면 합도 1씩 작아집니다.

③ 1씩 커지는 수에 같은 수를 더하면 합도 1씩 커집니다.

④ 1씩 커지는 수에 1씩 작아지는 수를 더하면 합은 같습니다.

⑤ 같은 수에 1씩 작아지는 수를 더하면 합도 1씩 작아집니다.

⑥ 1씩 작아지는 수에 1씩 커지는 수를 더하면 합은 같습니다.

149쪽

똑똑한 계산 연습

① 13, 12, > ② 14, 11, >
③ 13, 12, > ④ 11, 14, <
⑤ 16, 16, = ⑥ 15, 13, >
⑦ 14, 15, < ⑧ 14, 18, <

150~151쪽

기초 집중 연습

1-1 13, 15   1-2 16, 18
2-1 <   2-2 =
2-3 >   2-4 <
2-5 >   2-6 >
3-1 ○ □   3-2 □ ○
3-3 ○ □   3-4 □ ○
4-1 16, 14 ; 수지   4-2 12, 13 ; 경주

2-1 $5+8=13$, $9+6=15$
⇨ $13<15$

2-2 $7+7=14$, $6+8=14$
⇨ $14=14$

2-3 $4+9=13$, $6+6=12$
⇨ $13>12$

2-4 $5+6=11$, $3+9=12$
⇨ $11<12$

2-5 $7+6=13$, $4+8=12$
⇨ $13>12$

2-6 $8+8=16$, $9+5=14$
⇨ $16>14$

3-1 $6+9=15$, $7+5=12$
⇨ $15>12$

3-2 $8+3=11$, $6+6=12$
⇨ $11<12$

3-3 $7+7=14$, $5+6=11$
⇨ $14>11$

3-4 $9+4=13$, $7+8=15$
⇨ $13<15$

4-1 • 수지: $9+7=16$(점)
• 민호: $6+8=14$(점)
⇨ $16>14$이므로 점수가 더 높은 사람은 수지입니다.

4-2 • 지혜: $8+4=12$(점)
• 경주: $7+6=13$(점)
⇨ $12<13$이므로 점수가 더 높은 사람은 경주입니다.

정답 및 풀이

153쪽 · 똑똑한 계산 연습

1 (계산 순서대로) 2, 9 2 (계산 순서대로) 3, 6

3 (계산 순서대로) 4, 8 4 (계산 순서대로) 1, 7

5 (계산 순서대로) 5, 7 6 (계산 순서대로) 3, 8

7 (계산 순서대로) 2, 6 8 (계산 순서대로) 7, 8

1 12에서 먼저 2를 뺀 다음 다시 1을 더 빼면 9가 됩니다.

2 13에서 먼저 3을 뺀 다음 다시 4를 더 빼면 6이 됩니다.

155쪽 · 똑똑한 계산 연습

1 (계산 순서대로) 1, 6 2 (계산 순서대로) 4, 7

3 (계산 순서대로) 3, 6 4 (계산 순서대로) 6, 8

5 (계산 순서대로) 2, 7 6 (계산 순서대로) 5, 6

7 (계산 순서대로) 4, 9 8 (계산 순서대로) 7, 9

1 10에서 5를 먼저 뺀 다음 남은 1을 더하면 6이 됩니다.

2 10에서 7을 먼저 뺀 다음 남은 4를 더하면 7이 됩니다.

156~157쪽 · 기초 집중 연습

1-1 9   1-2 8

1-3 6   1-4 7

2-1 $11-5=6$ 2-2 $14-9=5$
     1 4   4 5

2-3 $16-7=9$ 2-4 $12-4=8$
     6 1   2 2

2-5 $13-6=7$
     3 3

3-1 8   3-2 5

3-3 4, 9   3-4 7, 6

4-1 9   4-2 7

4-3 8, 9   4-4 3, 8

1-1 $11-2=9$
       1 1

1-2 $15-7=8$
       5 2

1-3 $14-8=6$
       4 4

1-4 $12-5=7$
       2 3

2-1 $11-5=6$과 같이 계산할 수도 있습니다.
     10 1

2-2 $14-9=5$와 같이 계산할 수도 있습니다.
     10 4

2-3 $16-7=9$와 같이 계산할 수도 있습니다.
     10 6

2-4 $12-4=8$과 같이 계산할 수도 있습니다.
     10 2

2-5 $13-6=7$과 같이 계산할 수도 있습니다.
     10 3

3-1 $13-5=8$(개)   3-2 $13-8=5$(개)
       3 2   3 5

3-3 $13-4=9$(개)   3-4 $13-7=6$(개)
      10 3   10 3

4-1 (남은 딸기 수)
   =(처음에 있던 딸기 수)−(먹은 딸기 수)
   =$12-3=9$(개)

4-2 (남은 땅콩 수)
   =(처음에 있던 땅콩 수)−(먹은 땅콩 수)
   =$16-9=7$(개)

4-3 (오늘 한 줄넘기 횟수)
   =(어제 한 줄넘기 횟수)−8
   =$17-8=9$(번)

4-4 (오늘 한 손 씻기 횟수)
   =(어제 한 손 씻기 횟수)−3
   =$11-3=8$(번)

똑똑한 계산 연습

① 9, 8, 7, 6   ② 8, 8, 8, 8
③ 5, 6, 7, 8   ④ 9, 9, 9, 9
⑤ 5, 6, 7, 8   ⑥ 9, 7, 5, 3

① 같은 수에서 1씩 커지는 수를 빼면 차는 1씩 작아집니다.

② 1씩 작아지는 수에서 1씩 작아지는 수를 빼면 차는 항상 같습니다.

③ 같은 수에서 1씩 작아지는 수를 빼면 차는 1씩 커집니다.

④ 1씩 커지는 수에서 1씩 커지는 수를 빼면 차는 항상 같습니다.

⑤ 1씩 커지는 수에서 같은 수를 빼면 차는 1씩 커집니다.

⑥ 1씩 작아지는 수에서 1씩 커지는 수를 빼면 차는 2씩 작아집니다.

똑똑한 계산 연습

① 6, 8, <   ② 9, 4, >
③ 7, 7, =   ④ 6, 9, <
⑤ 6, 7, <   ⑥ 8, 5, >
⑦ 7, 8, <   ⑧ 9, 3, >

기초 집중 연습

1-1 8, 7   1-2 5, 7
2-1 <   2-2 =
2-3 >   2-4 >
2-5 >   2-6 <
3-1 □ ○   3-2 □ ○
3-3 ○ □   3-4 □ ○
4-1 7, 8 ; 성우   4-2 8, 6 ; 규태

1-1 아래쪽으로 가면 1씩 커지는 수에서 같은 수를 빼어 차가 1씩 커지므로 $12-4=8$, $13-6=7$ 입니다.

1-2 오른쪽으로 가면 같은 수에서 1씩 커지는 수를 빼어 차가 1씩 작아지므로 $14-9=5$, $15-8=7$입니다.

2-1 $13-9=4$, $11-5=6$
  ⇨ $4<6$

2-2 $18-9=9$, $16-7=9$
  ⇨ $9=9$

2-3 $14-8=6$, $12-7=5$
  ⇨ $6>5$

2-4 $15-9=6$, $13-8=5$
  ⇨ $6>5$

2-5 $17-8=9$, $16-9=7$
  ⇨ $9>7$

2-6 $11-4=7$, $14-6=8$
  ⇨ $7<8$

3-1 $13-6=7$, $11-3=8$
  ⇨ $7<8$

3-2 $15-8=7$, $12-4=8$
  ⇨ $7<8$

3-3 $16-9=7$, $14-8=6$
  ⇨ $7>6$

3-4 $13-5=8$, $17-8=9$
  ⇨ $8<9$

4-1 • 준희: $12-5=7$(개)
  • 성우: $15-7=8$(개)
  ⇨ $7<8$이므로 남은 젤리가 더 많은 사람은 성우입니다.

4-2 • 규태: $16-8=8$(개)
  • 정아: $11-5=6$(개)
  ⇨ $8>6$이므로 남은 쿠키가 더 많은 사람은 규태입니다.

정답 풀이

❶ 12   **❷** 6
❸ 14   **❹** 9
❺ 15   **❻** 7
❼ 12   **❽** 9
❾ 11   **❿** 9
⓫ <   **⓬** >
⓭ >   **⓮** =
⓯ <   **⓰** <
⓱ =   **⓲** <
⓳ >   **⓴** >

❶ $5+7=12$
     2   3

❷ $15-9=6$
     5   4

❸ $8+6=14$
     2   4

❹ $16-7=9$
     6   1

❺ $7+8=15$
     5   2

❻ $12-5=7$
     2   3

❼ $3+9=12$
     2   1

❽ $18-9=9$
     8   1

❾ $6+5=11$
     4   1

❿ $11-2=9$
     1   1

⓫ $9+2=11$, $5+7=12$ ⇨ $11<12$

⓬ $17-8=9$, $11-3=8$ ⇨ $9>8$

⓭ $7+9=16$, $8+6=14$ ⇨ $16>14$

⓮ $11-4=7$, $16-9=7$ ⇨ $7=7$

⓯ $5+6=11$, $9+3=12$ ⇨ $11<12$

⓰ $14-9=5$, $12-3=9$ ⇨ $5<9$

⓱ $7+6=13$, $4+9=13$ ⇨ $13=13$

⓲ $13-7=6$, $15-8=7$ ⇨ $6<7$

⓳ $5+8=13$, $7+4=11$ ⇨ $13>11$

⓴ $12-4=8$, $13-6=7$ ⇨ $8>7$

창의1 8, 17 ; 17   **창의2** 7, 9 ; 9
융합3 13   **융합4** 7
창의5 15, 13, 11
창의6

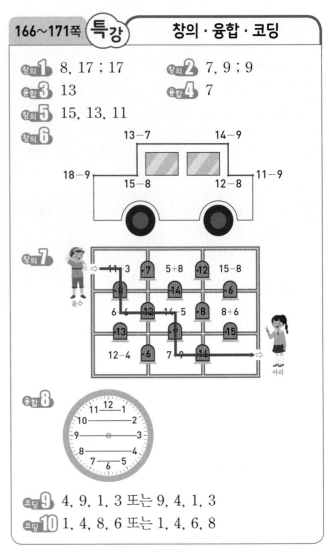

창의7

융합8

코딩9 4, 9, 1, 3 또는 9, 4, 1, 3
코딩10 1, 4, 8, 6 또는 1, 4, 6, 8

융합3 $5+8=13$(개)

융합4
- 중국 국기의 별 수: 5개
- 우즈베키스탄 국기의 별 수: 12개
⇨ 우즈베키스탄 국기에는 중국 국기보다 별이
   $12-5=7$(개) 더 많습니다.

융합8 합이 12가 되는 두 수를 찾습니다.
$9+3=12$, $8+4=12$, $7+5=12$

코딩9 (몇)＋(몇)＝(십몇)에서 십몇이 될 수 있는 경
우는 13, 14, 19이고 남은 수 카드로 만들 수
있는 식을 만족하는 경우는 $4+9=13$ 또는
$9+4=13$입니다.

코딩10 (십몇)－(몇)＝(몇)에서 십몇이 될 수 있는 경우
는 14, 16, 18이고 남은 수 카드로 만들 수 있
는 식을 만족하는 경우는 $14-8=6$ 또는
$14-6=8$입니다.

기초 학습능력 강화 프로그램

매일 조금씩 **공부력** UP

똑똑한 하루
독해&어휘

쉽다!

10분이면 하루치 공부를 마칠 수 있는
커리큘럼으로, 아이들이 쉽고 재미있게
독해&어휘에 접근할 수 있도록 구성

재미있다!

교과서는 물론 생활 속에서 쉽게
접할 수 있는 다양한 소재를 활용해
흥미로운 학습 유도

똑똑하다!

초등학생에게 꼭 필요한 상식과 함께
창의적 사고력 확장을 돕는
게임 형식의 구성으로 독해력&어휘력 학습

공부의 핵심은 독해!
예비초~초6 / 1A~6B, 총 12권

독해의 시작은 어휘!
예비초~초6 / 1~6단계, 6권

정답은
이안에
있어!

기초 학습능력 강화 프로그램
매일 조금씩 공부력 UP!

과목	교재 구성	과목	교재 구성
하루 수학	1~6학년 1·2학기 12권	하루 사고력	1~6학년 A·B단계 12권
하루 VOCA	3~6학년 A·B단계 8권	하루 글쓰기	예비초~6학년 A·B단계 14권
하루 사회	3~6학년 1·2학기 8권	하루 한자	1~6학년 A·B단계 12권
하루 과학	3~6학년 1·2학기 8권	하루 어휘	1~6단계 6권
하루 도형	1~6단계 6권	하루 독해	예비초~6학년 A·B단계 12권
하루 계산	1~6학년 A·B단계 12권		

※ 각 교재별 출간 시기는 조금씩 다르며, 일부 교재는 순차적으로 출시될 예정입니다.

어떤 글도 술~술~ 써지는 글쓰기 공부법!

똑똑한 하루
글쓰기

꾸준한 글쓰기 연습

하루 6쪽, 4주 완성 구성으로
꾸준히 글을 쓰는 습관을 길러 주어
사고력과 표현력이 쑥쑥!

갈래별 글쓰기 학습

주차별로 편지 쓰기, 설명하는 글 쓰기 등
초등 교과 학습과 생활 속 글쓰기에 맞춘
다양한 갈래별 글쓰기로 균형 잡힌 학습!

쉽고 재미있는 구성

'낱말 쓰기 → 문장 쓰기 → 한 편 쓰기'로
이어지는 단계별 학습과
이미지를 활용한 쉽고 재미있는 구성!

『똑똑한 하루 글쓰기』와 함께
글쓰기부터 공부 습관까지!
예비초~초6 / 1A~6B, 총 14권
※순차 출시 예정